LES CRASSEUX

Maquette : Rita Scalabrini

ISBN 0-7761-4927-X

©Copyright Ottawa 1974 par les Editions Leméac Inc.
Dépôt légal — Bibliothèque Nationale du Québec
4e trimestre 1974.

Antonine Maillet

LES CRASSEUX

Pièce en deux actes

(nouvelle version revue et considérablement augmentée pour la scène)

Présentation de Rita Scalabrini

Le monde
d'Antonine Maillet

par Rita Scalabrini

«Quand j'étais petite», dit très souvent Antonine Maillet. Et moi, de demander: «C'était quand?» Et de quoi parle-t-on, de la taille ou du temps? De l'un ou l'autre, rien n'a tellement changé. Je pense que les grands soleils de son enfance sont encore de grands soleils, et les nuages qui crèvent ressemblent aux grains de pluie qui n'ont rien dérangé aux jeux d'enfants.

«Je vas-t-i' rien que mourir, quand je serai vieille?» (On a mangé la dune, p. 175). Le temps des jeux est si actif que vieillir signifie inanition pour Radi qui regarde par-dessus ses huit ans. Ce sera pénible à Antonine Maillet de se retourner et de regarder filer son enfance. Qu'importe si l'on n'a plus l'âge d'être un enfant, mais si l'on sent encore le besoin de ce monde grouillant de trésors, de pirates et de sable pour charpenter de toute pièce des personnages de réalité et de rêve qui conteront l'histoire d'un pays de dunes. De la poupée de chiffon, elle fera une Sagouine; et la petite anse aux grenouilles, où elle venait cacher ses trésors de roches et de vitres, s'agrandira jusqu'à l'Ile-aux-Puces où le pirate changera de peau avec Don l'Original que le Gouverneur général couronnera un jour de mai 1973. Les paradoxes de la vie qui veulent bien que la dorure s'accroche au panache d'un roi des Crasseux trônant sur une souche devant

9

une cabane! Pourquoi ne pas plonger ses racines très creux, dans une enfance comme celle-là, où les contes d'une heure ont créé et créeront des mondes tout proches de ceux de Breughel et de Bosch.

Aussi paradoxal que cela puisse paraître, il faudrait tracer à la plume fine le portrait de celle qui a dégrossi dans le bois rugueux ses personnages des Crasseux. Taille petite et traits menus, on la dirait signe de la vierge. Mais non, Antonine Maillet est née sous le signe du taureau. Avec toute la fougue et l'audace qui lui feront dire: «Je vivrai mille vies pour empêcher mon village, mon enfance et mon pays de mourir tout à fait.» (Écrits du Canada français, p. 14). Signe de terre. Ne lui offrez jamais de roses; une touffe de pissenlits ou un gobelet de fraises sont des réalités qu'elle hume et croque avec plus de tempérament. Radi ne veut pas de petite nièce rose. Elle veut un radeau pour aller enterrer ses vitres dans l'anse (On a mangé la dune, p. 177); et quand on campe des personnages sur un tronc d'arbre, et qu'on les appelle Citrouille, Noume et la Cruche, on laisse deviner qu'on est taureau.

Taureau, signe du réel: le peuple, elle ne l'invente pas, elle aime les gens, ceux que le métier force à besogner dans un quotidien pénible. Elle-même définit l'Acadie: mon pays de vaches pour la réalité, et de géants pour le rêve et les impossibles possibles.

«Et puis dans la vie, les amis passent comme les jeux, Sophie et Mimo aussi. Ma mère l'a assez dit. Mieux vaut s'y attendre.» (La dune, p. 165). Pointe-aux-Coques fera la transition entre ce monde

10

merveilleux du radeau d'écorce et celui du petit village de pêcheurs. Un roman de jeunesse où l'auteur, à travers Mademoiselle Cormier, maîtresse d'école, ébauche déjà des personnages typiques. Mais dans un croquis sans perspective, sans recul parce que trop proche. Même l'auteur se fait narrateur et en même temps personnage du drame. C'est peut-être un des éléments intéressants qui caractérisent cette première oeuvre. Déjà s'esquisse Don l'Orignal, typiquement chef de clan, dans le personnage du grand Dan; et Nazarine est un premier coup de crayon très sûr qui dessinera ce personnage rustre et fort que sera la Sagouine. La saveur du langage nous étonne déjà: «La jeunesse d'à c'te heure exige des divertissements. Dans notre temps, j'avions ni grosses machines sur les routes, ni radio à la maison, ni que je menions les filles faire des pirouettes dans les salles de danses... Je vivions pauvres, mais contents.» (Pointe... p. 64).

Après vingt ans, la couleur locale ne s'est pas ternie. Dans la Sagouine, on parle encore de bingo, d'encan, et des gens des concessions qui ont encore le don de déranger. «La messe des Jours Saints est toujours retardée pour donner chance aux paroissiens des concessions.» (Pointe... p. 78). Et l'histoire de la vieille Francine n'a pas vieilli, et le ruisseau des Pottes coule toujours sous le pont couvert. Pointe-aux-Coques n'a pas à faire rougir l'auteur. Quand on a eu vingt ans il y a vingt ans, c'était déjà là rêver des impossibles.

Dans Pointe-aux-Coques, l'auteur n'était-il pas consacré écrivain acadien par son père: «Tu est fille d'Acadie, dit-il simplement, ton âme est faite de ses fleurs et de ses vents; partout où tu iras, l'odeur de la mer et la musique des champs de trèfle te hanteront.» (p. 127). Et Antonine Maillet ne posait-elle pas elle-même un sceau que le temps n'effacera plus: «Tu te construiras un autre bateau, Jean, pendant les veillées d'hiver, tu le peindras de blanc encore, puis tu imprimeras mon nom sur la proue.» De la proue d'un bateau, le nom de l'auteur de Pointe-aux-Coques passera au pays.

Quand elle était petite, on a mangé sa dune. Antonine Maillet a rêvé, elle a tiré sur son enfance pour que le rêve dure plus longtemps, c'est-à-dire le temps de réincarner l'enfance. Aussi pour permettre à Radi, personnage principal et double de l'auteur, de récapituler tout son monde tapi bien au fond d'elle-même, encore à l'abri du trop réel. Elle refera ce monde dans l'optique d'un petit Dieu le Père à travers des lunettes d'enfant agrandies et colorées. Mais à mesure qu'elle apprend les gens, la vision de Radi se raffermit dans un certain défi: «Les journaux ne sont pas encore rentrés, mais on commencera par vendre ceux d'hier; un jour comme ceci, tout le monde achète le journal, mais personne ne le lit.» (p. 165). Radi regarde d'en haut... Debout sur le pic des rochers, elle regarde en bas... L'église se dresse là avec son clocher qu'Horace grimpait trois fois par jour pour sonner l'Angélus... et le magasin... Maude... le ruisseau et puis l'anse avec sa roche ensorcelée par les pirates. «Radi regarde en bas et sent des doigts de pirate s'agripper à son foie et à son coeur.» (p. 181).

...Et avec les contes, Joséphine avait tout emporté...

Non, on n'a pas mangé toute la dune, il en reste cent pieds à l'auteur où il a caché des vitres colorées et des morceaux de soleil d'une enfance qu'il n'a pas pu voir grandir.

Et c'est l'exorcisme de l'enfance avant de lui dire adieu.

Deux larges traits noirs et solides traçant une perspective linéaire parfaite et qui s'appellent une traque, une bouchure, une frontière, seront le chemin nouveau qu'Antonine Maillet n'a pas cherché mais que l'oeil de l'écrivain mûr aux réalités découvre dans son village natal. Le clocher de son église lui avait tracé une verticale qui guide l'enfance, mais la société se veut horizontale parce que plus proche de la terre et du réel.

Cette traque, cette voie ferrée divisera une société en gens d'En-haut et gens d'En-bas; et ce sera les Crasseux, gens d'En-bas, qui donneront le bon ton à la pièce avec leurs moeurs qui chavirent la morale des gens d'En-haut et leur langage savoureux qui se veut unique dans l'écriture. Et ceci est une libération pour l'auteur et une innovation pour la littérature acadienne.

C'est une pièce à la qualité de terre, où les personnages ont poussé comme poussent les beaux sapins résineux. Don l'Orignal, Noume, Citrouille, la Sagouine, la Cruche: ces noms ont un volume pétri à même la glaise du pays. Sont-ils réels, vivants ou fictifs? Il faudrait demander à l'auteur si, en écrivant les Crasseux, il avait l'âge de mentir. Puisque ces personnages de gueux sont mi-réels, mi-fictifs, Antonine Maillet ne ment plus, elle crée de ces mensonges que seuls les poètes peuvent se permettre.

Don l'Orignal est l'un de ses plus beaux mensonges. Il sort de ces familles de héros, de géants; il sera le roi trônant sur une souche devant une cabane, face à la mer: un domaine sans domaine. Dans la deuxième version, il se fera même capitaine pour le salut des siens et Noume dira de lui: «je prendrons les rames, moi pis Citrouille; pis Michel-Archange la barre, pis mon père se tchendra deboute, sus la proue, pour nous montrer le chemin... (Les Crasseux, 2e version, acte I, scène 2).

Puis voilà Michel-Archange, une espèce d'ange noir à la peau épaisse, à qui le vent des marées avait arraché les ailes pour laisser pousser la force d'un général qui ébranle le monde d'En-haut. «Michel-Archange est plus d'un âge à se battre avec des marquises. Quand il se bat, c'est avec des hommes. (1re version, page 25)

«Godèche de hell! Noume c'est un houme.» C'est la façon de Don l'Orignal de présenter son fils. Ce jeune héros de vingt ans a déjà sauté les frontières. Il a découvert des mondes et appris à rêver à un paradis qui ne crève pas. «En Angleterre, moi j'avais mon capot pis mon casque de simple soldat. Rien que ça, Citrouille, pis une tête pleine de belles histoires. Depuis tout le temps qu'on les a regardés vivre, nous autres, les gens d'En-haut, on est venu à se le figurer, leur beau monde caché derrière les vitres. Tu passes le soir sous leurs chassis et devant toutes ces lumières jaunes, tu t'arrêtes et tu te mets à jongler.» (page 44, 1re version). Noume est un homme qui donnerait le trône de son père pour un bon feu dans la cheminée: «Tu vois des sofas de pluche, et des tables roulantes

(...) et une bûche qui brûle dans une cheminée... *(1re version, p. 44).* *Il échangerait quelques bonnes femmes taillées à la hache pour une femme que l'élégance déhanche...* «*et une femme en robe blanche qui se dandine les épaules sur un piano. C'est le ciel ça. Mais Citrouille, c'est rien que notre ciel à nous autres, le pauvre monde. Parce que le paradis, tu sais, il est là-haut, ou là-dedans. Le jour que j'ai rentré dans leur monde au fond des parcs, psst... crevé leur paradis! Le ciel, faut regarder ça à travers une vitre sous les lumières jaunes.*» *(1re version, page 44)*

Les Crasseux ne connaissent pas la définition du bonheur, mais ils savent bien la sensation d'une joie qui chatouille le coeur et donne envie de rire pour rien: «*Mon défunt père disait, lui, qu'une piastre qui peut pas te bailler une fête, c'est pas une piastre vraie.*» *(1re version, page 51).* C'est la Sagouine qui parle: personnage typique qui donne envie de penser à l'autre Sagouine, celle qu'Antonine Maillet a campée dans le siècle, sans savoir qu'un jour ce personnage réel et vrai pourrait franchir, sans cogner, les portes des frontières. La Sagouine des Crasseux servira d'esquisse à l'autre. Elles auront la même fonction: «*Je viens faire la barbe à votre plancher de bois mou*», dira la première au Barbier *(1re version, page 18).* Et l'autre: «*J'ai passé toute ma vie à fourbir chez les autres.*» *(Sagouine, page 11).* Toutes les deux ont la même truculence: «*Ah! mais quoi c'est que ces guerres à cette heure! Un houme s'en revient de l'autre bord, comme des noces. Il lui manque pas un poil, pas un chicot, pas* une patte. C'est pas chrétien, c'te guerre.» (1re version, page 23)

Puis vient cette fausse dévote qu'ils appelleront la Sainte et qui tiendra haut les principes de la religion dans les quartiers des gens d'En-bas. La Sainte, c'est la morale en contrepoids avec celle de la Cruche qui n'a rien à voir avec la religion. Ce n'est pas coûteux et ça fait partie de la vie d'avoir une Cruche de joie dans sa société: «Un houme est un homme par En-bas comme par En-haut». (1re version, page 43)

Les Crasseux sont des crasseux; leur monde, un monde de crasse; mais à travers l'opacité de la matière, une poésie, couleur de citrouille et de bleuets, se dégage aussi de ce monde. Citrouille, personnage simple et attachant n'est pas un houme comme les autres. Sa petite amie, volée au monde d'En-haut, le dira dans la deuxième version de la pièce: «Le monde est plein d'hommes comme les autres. Le Barbier c'est un homme comme les autres... et le Marchand qui vend à tout le monde le même corn flakes que tout le pays mange à la même heure à chaque matin. Un monde comme tout le monde que ça finit que les hommes t'écoeurent.» (2e version, acte II, scène 1). Citrouille a rêvé à une fille d'En-haut mais une belle d'En-haut est faite pour les beaux d'En-haut. Il aurait fallu accorder le rythme de ton coeur à une Cruche, Citrouille, ou à une Sagouine; aussi il fallait t'attendre à ce que le Barbier ou la Mairesse règlent eux-mêmes l'affaire de ton coeur.

L'auteur n'avait pas fini de nous parler de ses Crasseux. Il lui a fallu un certain recul pour tracer une esquisse plus élaborée de la vie des gens d'En-bas et des gens d'En-haut. D'où cette nouvelle version des Crasseux. Les personnages n'ont pas changé tellement, sinon que vient s'ajouter aux Crasseux le vieux Phamphile, qui mêlera sa sagesse de gueux, ramassée depuis presque cent ans, à celle de Don l'Orignal, le roi pacifique de son peuple. Du côté des gens d'En-haut, la femme du Barbier remplacera la Chapelière, l'une et l'autre gardant les mêmes prérogatives de femme prude et vinaigrée.

La nouvelle version des Crasseux reprend le même sujet, ou la même lutte entre les deux monde: l'En-bas et l'En-haut; cette fois cependant l'enjeu de la lutte n'est plus une télévision, symbole d'aisance et de progrès, mais bien un baril de mélasse, symbole de survie. Bien sûr, ils survivront puisqu'ils grimperont par-dessus la traque pour chavirer les valeurs sociales d'un Barbier, d'un Marchand et d'une Mairesse.

Dans la première version, aussi bien que dans la deuxième, on sent chez l'auteur un faible pour les Crasseux. Et ces affinités, il les nomme Noume, Don l'Orignal, Michel-Archange... Tandis que le Barbier, lui, reste un froid barbier qui rase les notables; et la Mairesse, un chef fonctionnel et stéréotypé.

C'est le réalisme terre à terre et opaque des gens d'En-haut qui s'oppose à la poésie et à la tendresse aimable des gens d'En-bas: «Je pouvons-t-i' t'accompagner, un boute?» (Acte 1, scène 2). C'est la Sagouine qui console le vieux Pamphile agonisant: «Fais-toi-z-en pas Pamphile à Magorique à Henri à Jean, je sons là, nous autres, pis je te

17

garderons jusqu'à ce qu'i' seyit temps de te mettre en terre. Fais-toi-z-en pas pour ton étarnité, je t'arons un coin au cimetchère.» (Acte 1, scène 2). Ce sont des mots presque caressants sortis droit du coeur du gros roi panaché, pour un mourant centenaire. Nous baignons, en pleine fantaisie, et même en pleine légende, comme celle du Vaisseau fantôme et de la Charrette de la mort qui donnent aux Crasseux les pouvoirs mystérieux de se battre avec la mort et d'inventer leur propre paradis.

«Les mondes se mettent à ressembler à mes livres» dira ironiquement Antonine Maillet. Malraux aussi l'avait dit, mais la différence est dans le ton. Au moment où l'auteur des Crasseux écrivait une pièce de théâtre sur la situation des gens d'En-haut et des gens d'En-bas, on ne pouvait pas se douter que ces Crasseux abattraient peu de temps après cette frontière qui les réduisait. C'est la lutte des classes, problème universel, aussi bien que le problème de l'Acadie.

«Corver ou pas corver, c'est là la grosse affaire.» Antonine Maillet dit corver ou pas corver, pendant que Jean-Louis Roux s'interroge sur l'existence ou le néant. Somme toute, c'est un crasseux qui dit la même vérité qu'un Danois du Moyen Age. Mais quelle innovation dans l'écriture! On était toujours «mort», mais on n'avait jamais «corvé»; langage neuf sorti crûment du peuple. C'est la première fois qu'une oeuvre acadienne est écrite en langue acadienne. Surprise pour le public, et même surprise pour le peuple acadien. L'oreille avait l'habitude de la sonorité, mais l'oeil est étonné à la lecture.

Antonine Maillet fait parler l'Acadien, l'Acadien fait parler Antonine Maillet. L'étoffe du pays colle bien à sa peau. Son amour pour son peuple donne des dimensions agrandies aux choses et aux gens. Elle pousse volontiers les rebords de la mer, étire jusqu'à l'infini sa dune de sable et, sans sourciller, elle vous ferait faire escale à Bouctouche avant Paris...

Aussi ses personnages sont-ils tirés de là-bas, de son patelin. Un premier croquis s'élabore et en crée un autre. La maîtresse d'école de Pointe-aux-Coques a tracé, à travers le grand Dan, la première esquisse du Don l'Orignal de l'Ile-aux-Puces qui gardera cette même royauté, cette même force, qui fera avec les Crasseux une sorte de gigantomachie, non plus à la beauté grecque, mais à la rudesse d'écorce de chêne et à la saveur de résine de sapin. Et la Sagouine ne «fera pas zire» dans cette lignée de terriens et même à côté de la belle Evangéline de Longfellow, non plus que Mariaagélas, femme de la mer, femme de la terre, qui porte la responsabilité de sa condition de femme libre et batailleuse que lui demandent l'auteur et l'époque où sa naissance l'a campée.

«Gapi, taisse-toi», qu'a dit la Sagouine. C'est dire que Gapi n'a pas encore parlé. Il nous faudra attendre l'arrivée de Sullivan, son ami, pour l'entendre badjeuler... bientôt.

Ils sont déjà nombreux ceux qui font partie de la lignée des vigoureux personnages qui colorent de tons vifs et sûrs la grande fresque qu'Antonine Maillet est en train d'élaborer pour conter son pays qui ressemble drôlement au nôtre.

À Anna et Hervé

PERSONNAGES

GENSES D'EN BAS:

DON L'ORIGNAL, vieux chef. (60 ans)
LA SAGOUINE. (40 ans)
MICHEL-ARCHANGE, sorte de général. (45 ans)
NOUME, jeune héros, fils de Don l'Orignal. (25 ans)
LA SAINTE. (50 ans)
CITROUILLE, jeune héros sentimental, fils de la Sainte. (20 ans)
LA CRUCHE, fille de la Sagouine, fille de joie. (20 ans)
PAMPHILE, à peu près centenaire.

GENS D'EN HAUT:

LA MAIRESSE.
LE DOCTEUR.
LE MARCHAND.
LE BARBIER.
LA FEMME DU BARBIER.
LE PLAY-BOY, fils du Marchand. (20 ans)
LA JEUNE FILLE, fille de la Mairesse.
DEUX OFFICIERS.
QUELQUES DANSEURS.
DES ENFANTS.

La scène se passe en Acadie, à peu près aujourd'hui, dans un coin de pays du bord de la mer, où une voie ferrée sépare deux villages: le gros d'en haut, le petit d'en bas.

ACTE I

Scène I

À l'étage d'un kiosque, on danse un quadrille. À l'arrière du kiosque, bruit de foule invisible. Des enfants courent dans l'escalier du kiosque, jusqu'au comptoir sous le kiosque où flânent le Docteur qui prend une bière et le Marchand qui joue du tuba. Déjà ils se grattent. Sous l'escalier, Noume charrie les poubelles. Violons à l'étage.

CALLEUR — Par ici, Mesdames, par là, Messieurs, choisissez votre compagnie....

LES HOMMES — You-you!

CALLEUR — Attention... promenade!

MARCHAND, *qui s'arrête brusquement de jouer* — Ah! mais c'est infernal!

DOCTEUR — Les violons ou le tuba?

MARCHAND — La chaleur. Ça me pique partout.

DOCTEUR — La chaleur brûle, mais pique pas, Marchand.

MARCHAND — Ben moi ça me pique, picotte, démange, Docteur. Et ça fait des jours.

DOCTEUR — C'est les canicules.

Les enfants sautent autour du Docteur qui leur donne des chips; puis ils s'approchent du Marchand.

ENFANTS — On peut-i' souffler? Laissez-nous souffler!

Le Marchand souffle un bon coup de son tuba; les enfants se sauvent et vont écornifler sous l'escalier.

NOUME — Aouindez-vous de là, mes petits verrats!

UN ENFANT — Toi, Noume, t'es rien qu'un Crasseux!

Noume s'élance, les enfants se sauvent.

NOUME, *en emportant une poubelle* — Je vas vous en faire un crasseux, moi. C'est votre crasse que je ragorne.

Les enfants vont vers les toilettes. Ils se penchent pour regarder sous la porte. On aperçoit les cannes fines de la femme du Barbier. Les enfants vont faire pipi ailleurs. Puis ils grimpent pour regarder par dessus bord. À cet instant sort la femme qui les voit.

FEMME DU BARBIER — Ah! les effrontés! Mais qui c'est qui vous a élevés, à la fin? (*Elle les chasse à coups de sac à main. Puis elle passe devant le Marchand et le Docteur.*) On ne sait plus où l'on va. Même nos enfants prennent des manières de petits malappris depuis quelque temps.... Ah! quelle chaleur! (*Elle se gratte.*)

MARCHAND — Il paraît que c'est pas la chaleur, mais les canicules.

FEMME DU BARBIER — Les canicules! Heh!

Un pétard éclate. Elle crie et s'éloigne. On voit les enfants allumer les pétards. Le quadrille est terminé; les danseurs descendent au comptoir.

DANSEUR — Danser comme ça en plein été, ça donne des démangeaisons.

DANSEUSE — J'ai le cou tout rouge. Et ça me pique le long des côtes.

Noume revient vers l'escalier avec des poubelles. Le Play-Boy arrive sur sa moto et manque de renverser Noume. Noume lui montre le poing. Le Play-Boy éclate de rire. Les enfants s'approchent et jouent avec la moto. Au loin, des danseurs s'embrassent. La jeune fille qui causait avec les violoneux dans le kiosque, descend maintenant l'escalier. Le Play-Boy monte à sa rencontre.

PLAY-BOY — Salut, beauté. Tu viens faire un tour?

La jeune fille passe devant lui sans répondre. Le Play-Boy est choqué. Noume éclate de rire. Les enfants font sonner le klaxon. Le Play-Boy les chasse.

PLAY-BOY — Lâchez ça, vous autres! C'est pas une bebelle, ça.

NOUME — Ah! non?

On aperçoit la Cruche qui essuie la vaisselle derrière le comptoir.

Pendant les actions précédentes, on a vu les Crasseux ramper petit à petit vers la voie ferrée. En apercevant la jeune fille dans l'escalier, Citrouille s'est lancé et s'est dressé sur la voie ferrée.

MICHEL-ARCHANGE — Citrouille, sors de là. C'est pas notre monde, ça; viens-t'en icitte.

LA SAINTE — Si c'est pas notre monde, pourquoi c'est faire que la Cruche pis Noume y allont, zeux, par en haut, pis point mon garçon?

LA SAGOUINE — Par rapport que Noume pis la Cruche, ils allont en haut gâgner leu vie pis la tchenne, la Sainte.

LA SAINTE — Ah! ça s'adoune que j'ai point accoutume de me faire nourri' par les enfants des autres.

LA SAGOUINE — Ben faut ben que tchequ'un t'ayit baillé la graisse que t'as sus les jarrets pis autour des reins.

LA SAINTE — Veux-tu dire, la Sagouine, que je me nourris des déchets de magasin que le garçon à l'Orignal charrie à la dump?

LA SAGOUINE — T'as pas accoutume de lever le nez sus leux guénilles, je ouas pas pourquoi c'est que tu cracherais sus leux déchets.

LA SAINTE — Ah! la bougresse! Et pis ta fille, yelle, quoi c'est qu'a' va faire par en haut, toutes les nuits que le Bon Djeu amène? C'est-i' des déchets qu'a' va qu'ri' là, par adon?

LA SAGOUINE — A' va leu porter la communion, à ces fripeux de bénitchers de beau monde d'en haut.

30

La Sainte se signe.

DON L'ORIGNAL — Watch ta langue, la Sagouine ; pis coumence point de chicane quand c'est que le Soleil est déjà couché, godêche de hell !

LA SAGOUINE — Moi, de la chicane ? Heh !... je passe mon temps à mettre la paix icitte.

MICHEL-ARCHANGE — C'est pour ça que ça va si ben... Citrouille, dévale de la traque, que je t'ai dit. Largue les filles d'en haut aux houmes d'en haut.

CITROUILLE — Et nous autres, j'en sommes point des houmes ?

MICHEL-ARCHANGE — Nous autres, je sons des genses d'en bas ; les houmes sont des genses d'en haut.

DON L'ORIGNAL — Je sons des houmes, d'en bas.

LA SAINTE — Pis nous autres ?

LA SAGOUINE — La Mairesse pis la Barbiére sont des dames d'en haut ; pis toi, la Sainte, t'es une créature d'en bas.

LA SAINTE — Une créature du Bon Djeu, coume les autres.

LA SAGOUINE — Pus grousse que les autres.

En haut, on prépare le numéro de fanfare.

MICHEL-ARCHANGE — Ta goule, la Sagouine, pis écoute ; je crois que j'allons aouère de la band.

Arrivent le Barbier et sa femme qui ont dansé. Ils ont chaud et se grattent.

31

BARBIER — Diable! qu'il fait chaud! J'en ai des picotements jusque sous ma chemise. Merde!

FEMME DU BARBIER — Ah! je t'en prie, mon mari, si ça te démange, gratte, mais ne jure pas.

DOCTEUR — Prenez une bière, M. le Barbier-conseiller-municipal; ça vous rafraîchira.

Le Barbier s'avance, mais sa femme l'arrête.

FEMME DU BARBIER — C'est vous, Docteur, qui allez faire boire nos maris, maintenant? N'avons-nous pas assez de saoulards tout près... en bas?

Elle se gratte.

CALLEUR — Marchand, il manque plus que vous.

MARCHAND — Ah! prenez ma musique et dé-brouillez-vous. Moi, ça me picote sur les jam-bes, sur les cuisses, sur...

FEMME DU BARBIER — Ah!...

MARCHAND — Pardon, Madame... Passez mon tuba à l'instituteur; moi, aujourd'hui, je fausserais même l'Ave Maris Stella.

FEMME DU BARBIER — Mais c'est un fléau, cette démangeaison. Qu'est-ce qu'on attend pour faire quelque chose?

DOCTEUR — Prenez un bon bain chaud avant de vous mettre au lit.

FEMME DU BARBIER — Pardon, Docteur, je me baigne tous les soirs.

BARBIER — Et parfois le matin.

La jeune fille passe. Noume siffle.

FEMME DU BARBIER — Mais... mais il a sifflé, ma parole.

DOCTEUR — Ça arrive que les garçons sifflent après les filles.

FEMME DU BARBIER — Mais pas les garçons d'en bas après nos filles d'en haut. Attendez que je prévienne sa mère.

DOCTEUR — Vous aurez chance de le faire tout de suite, je crois qu'elle s'en vient.

Là-haut, les musiciens préparent les instruments.

CALLEUR — M. le Marchand, je vous en prie.

MARCHAND — J'arrive...

Il part dans l'escalier, puis s'arrête le temps de jeter un coup d'oeil flirt à la Cruche. On voit les musiciens de dos dans le kiosque. On entend: Vive la Mairesse! Elle entre, traverse la scène pompeusement en distribuant des petits drapeaux et des sifflets aux enfants.

BARBIER — Vive la Mairesse! Vive la Mairesse!

FEMME DU BARBIER — Pas si fort, t'as pas besoin de t'époumoner. C'est rien que la fille d'un forgeron et la veuve d'un épicier.

BARBIER — Oui, mais là, c'est la Mairesse. Vive la Mairesse!

DOCTEUR — Voilà de quoi lui faire oublier ses picotements.

FEMME DU BARBIER — Puis elle a su se faire attendre, comme toujours.

La Mairesse s'arrête dans l'escalier et se retourne vers sa suite.

MAIRESSE — Je sais qu'il fait chaud, mais ce n'est pas une raison pour manquer de tenue. Au moins que ceux qui montent sur l'estrade cessent de se gratter. N'oubliez pas que le peuple vous voit.

PLAY-BOY — Mais ça démange.

BARBIER — Une vraie peste, Madame. Et ça devient intolérable.

FEMME DU BARBIER — Faut faire quelque chose.

UN ENFANT — On a tous des puces !

Tout le monde se fige, scandalisé.

MAIRESSE — Qui a dit ça ?

FEMME DU BARBIER — Des puces !...!!! des puces !...

BARBIER — Tais-toi, petit voyou.

PLAY-BOY — La vérité sort de la bouche des enfants.

MAIRESSE — S'il fallait qu'on nous entende ! On serait capable de nous prendre pour des crasseux, nous autres aussi.

FEMME DU BARBIER — Oh ! mon Dieu ! quelle calamité !

MARCHAND — Ils ont assez de nous passer leurs puces sans nous léguer leur nom, en plus.

BARBIER — Si on les endure plus longtemps à renifler dans nos affaires, ils pourraient nous laisser plus que leurs puces.

FEMME DU BARBIER — Regardez-le nous regarder, celui-là. *(Indique Noume.)*

JEUNE FILLE — Mais c'est vous qui le regardez, Madame.

BARBIER — Nous sommes chez nous ici, Mademoiselle.

JEUNE FILLE — Moi ça me pique pas, c'est drôle ; à peine si ça chatouille.

MAIRESSE — Ça suffit. L'important c'est de lutter tous ensemble contre le fléau. Et tâcher de ne pas ébruiter le scandale.

MARCHAND — Trop tard. Tout le monde là-bas se gratte et le mot « puces » circule déjà dans la foule.

MAIRESSE — Mon Dieu ! Quel déshonneur !

MARCHAND — On vous demande, Madame la Mairesse.

Foule appelle la Mairesse.

BARBIER — Excellente occasion de leur montrer qui vous êtes. Promettez-leur quelque chose.

MAIRESSE — En temps de fléau, il n'y a pas cinquante-six promesses à faire.

BARBIER — Il y en a une : l'éliminer.

MAIRESSE — Mais, allez-vous attaquer aux puces !

BARBIER — Attaquez-vous plutôt à la crasse.

MARCHAND — Venez, Madame, la fanfare a chaud.

MAIRESSE — Tout le monde a chaud... le monde entier a chaud. Il est temps de mettre de l'ordre.

BARBIER — Bravo ! Vive la Mairesse !

FEMME DU BARBIER — N'exagère pas.

On monte tous dans le kiosque à la suite de la Mairesse. Bruit de foule qui l'accueille. Puis voix de la Mairesse dans le haut-parleur.

MAIRESSE — Mesdames, Messieurs... chers concitoyens....

Retour aux Crasseux qui tout en écoutant la musique, se sont fait un petit feu.

LA SAGOUINE — Ah! ben ils allont-i' point la faire taire, c'telle-là? Farmez-y la goule pis jouez de la band.

MICHEL-ARCHANGE — De la band, sacordjé, de la band!

Apparition du Marchand à la rampe du kiosque.

DON L'ORIGNAL — Duckez-vous, ils s'en venont nous espiouner.

MAIRESSE — ... pour protéger nos terres et nos maisons...

CITROUILLE — Les maisons! les terres! c'est pas pour tout le monde. C'est pas pour tout le monde les bicycles à pets et les télévisions.

LA SAGOUINE — Ah ça, ça me counaît. Moi, devant ces beautés-là, je me croise les pieds sus une petite affaire de plûche et je regarde les portraits d'images des annonceux. Y en a des annonceux là-dedans! Quand c'est asteur qu'i' vous chuchotont dans le creux de l'oreille de se

36

forbir les dents avec de la dentifreeze, ça me coule
en plein cœur de l'échine, leu dentifreeze. Ah!
vous irez pas dire que la Sagouine peut pas démê-
ler un annonceux d'un Michel-Archange.

MICHEL-ARCHANGE — Ah! sacordjé! A' les a
vus à quatre pattes, la Sagouine, ses annonceux, en forbissant la place de bois franc du
Docteur.

LA SAGOUINE — Je les ouaiyons mieux de même, avec le nez collé dessus.

MAIRESSE — ... Pour sauver le bonheur de
tous...

CITROUILLE — Le bonheur non plus, c'est
point pour tout le monde.

LA SAGOUINE — C'est point le même monde,
pis c'est point la même vie, ben tout un chacun en a une, Jésus-Christ de Djeu!

MICHEL-ARCHANGE — Tout un chacun a
venu au monde tout nu; et tout un chacun va se
faire manger par les vers après sa défunte mort,
jusqu'à en aouère les ous tout nus. À chaque
boute de la vie, la vie est pareille pour tout un
chacun. Ben quoi c'est que le Bon Djeu avait
dans l'idée de faire ça si différent entre les
deux boutes?

LA SAINTE — Ah! Il a blasphêmé, le petit Jésus-
Christ!

MAIRESSE — ...je m'engage, avant... élections...
à vous débarrasser...

FOULE — ...des puces.

MAIRESSE — ...à vous débarrasser des puces!

FOULE — De la crasse!

37

MAIRESSE — ... à vous débarrasser de la crasse!

VOIX — ... des Crasseux!

MAIRESSE — ...à vous débarrasser des Crasseux!

Délire de la foule. Consternation des Crasseux.

LA SAGOUINE — I'parlont de s'en prendre aux puces. Ben quoi c'est qu'i leur avont fait, les puces?

LA SAINTE — Si c'était des poux, encore, ben des puces, asteur... ...Ç'a jamais fait de mal à parsoune.

CITROUILLE — Ben ça mord.

MICHEL-ARCHANGE — Ça mord, qu'i' dit! Faut qu'un houme ayit la peau pas mal feluette pour sentir les dents d'une puce sus ses ous. Sacordjé de Djeu, i' me feront point accrouère à moi, Michel-Archange, que tcheques puces seriont capables asteur de renvarser un gouvarnement.

DON L'ORIGNAL — Faut crouère, godêche, que les genses d'en haut avont point les mêmes goûts que nous autres; et je ferions peut-être mieux à l'avenir de garder nos affaires en bas.

MICHEL-ARCHANGE — Je crois que j'ai entendu qu'ils allont assayer itou de se débarrasser de nous autres. *(Marchand revient au balcon accompagné cette fois de la Mairesse et des autres. Il montre au loin les Crasseux.)* Ils ont mis le feu!

FEMME DU BARBIER — Un feu! Je vous dis qu'ils finiront par nous assassiner.

BARBIER — Ça presse de nettoyer le pays.

PLAY-BOY — Commençons donc par nettoyer la maison. Regardez sous l'escalier.

MAIRESSE — Mais qu'est-ce qu'il fait là, celui-là?

DOCTEUR — Il fait les vidanges comme à l'ordinaire.

MAIRESSE — Et celle-là?

FEMME DU BARBIER — Celle-là, c'est la Cruche qui fait son métier la nuit sous nos fenêtres.

NOUME — Droite asteur a' décrasse vos plats.

FEMME DU BARBIER — Ah! vous avez entendu? Il nous insulte maintenant.

MARCHAND — C'est intolérable!

BARBIER — Chassez-le!

MAIRESSE — Allez-vous en!

Tous crient et chassent Noume. Les enfants lancent des pierres.

NOUME — Vous reviendrez après ça me qu'ri' pour charrier vos déchets, satrée bande de deux faces! Ben vous vous les fourrerez dans le cul, vos déchets! Viens-t'en, la Cruche.

Noume donne un coup de pied dans les poubelles qui se renversent. Puis il s'éloigne, suivi de la Cruche. Les Crasseux, sous les cris d'en haut, se sont dressés sur la voie ferrée.

FEMME DU BARBIER — Ils sont tous là, les Crasseux, regardez-les!

BARBIER — Toute la canaille et la racaille du pays.

MAIRESSE — Allez-vous-en! Allez nourrir vos puces ailleurs!

LA SAINTE — Oh! vous avez entendu ça?

MICHEL-ARCHANGE — Ah! la goddam de bitch!

LA SAGOUINE — Nos puces avont plusse d'alément que vos chiens qui pissent dans vos salons!... Je le sais, c'est moi qui forbis leux places.

MAIRESSE — Rentrez dans vos cabanes!

MARCHAND — Je veux plus en voir un approcher de mon comptoir. Et plus de mélasse à crédit.

JEUNE FILLE — Mais qu'est-ce qu'ils ont fait?

PLAY-BOY — Ils ont fait qu'ils sont des Crasseux; et des Crasseux, ça fait de la crasse; et de la crasse, ça fait des puces.

BARBIER — Et leurs puces, on les a sur le dos aujourd'hui!

MICHEL-ARCHANGE — Sur le dos? Ah! non, mon son of a bitch! Je m'en vas te les bailler ailleurs, moi, nos puces!

Il s'élance.

FEMME DU BARBIER — Iiiii! Arrêtez-le! Il nous attaque!

DON L'ORIGNAL — Michel-Archange! Viens-t'en icitte!

Michel-Archange s'arrête.

MAIRESSE — Bande de chenapans!

DON L'ORIGNAL — C'est pas de même que j'allons nous défendre contre les serpents.

MAIRESSE — Et maintenant que nous sommes seuls, chez nous, que la fête continue!

Ils s'éloignent.

CITROUILLE — V'là Noume.

LA SAGOUINE — Pis la Cruche.

MICHEL-ARCHANGE — M'est avis, Don l'Orignal, qu'i' va se passer de quoi droite icitte, sus c'te traque, avant les prochaines marées hautes.

LA SAGOUINE — I' va passer le C.P.R. coume d'accoutume.

DON L'ORIGNAL — Quoi c'est qui se passe en haut, Noume?

NOUME — I' se passe pus rien, son pére. I m'avont flanqué dehors.

DON L'ORIGNAL — Toi?

NOUME — Moi qu'est là devant vous: corps, âme et esprit.

LA SAGOUINE — Et boyaux.

NOUME — Après ce temps-citte, pus de jobs.

PAMPHILE — Pus de jobs, puis de melasse; pus de melasse, pus de vie.

LA SAINTE — Ainsi soit-il.

DON L'ORIGNAL — Quoi c'est qu'i' conte là?

LA SAGOUINE — I'conte là que c'est la guerre, Don l'Orignal; la guerre coume c'telle-là d'Angleterre où c'est que nous houmes avont parti de l'autre bord avec leux sacs sus l'échine et leux casques sus le front.

41

MICHEL-ARCHANGE — La guerre! Sacordjé de Bon Djeu! la guerre! Après ce temps-citte, chacun reste de son bôrd.

NOUME — C'est point moi qu'i' repogneront à netteyer leux déchets.

LA SAGOUINE — Pis moi, à forbir leux places pis décrasser leux hardes.

LA SAINTE — Pis moi à acheter leux guenilles de porte en porte pis de barriére en clayon.

LA SAGOUINE — Pis t'en venir icitte nous les rendre après ça, double prix.

LA SAINTE — Ah! la verreuse! Don l'Orignal, allez-vous point la mettre à sa place une boune fois, c'te bougresse-là?

DON L'ORIGNAL — La paix, godêche, la paix! J'avons-t-i' point assez de trouble sus les bras, par les temps qui vont?

CITROUILLE, *à Noume* — Tu l'as vue, Noume?

NOUME — Toi non plus, Citrouille, i' voulont pus de toi. I' parlont de netteyer zeux-mêmes leux cheminées après ce temps-citte.

MICHEL-ARCHANGE — Citrouille, il a d'autre chouse à faire en haut que de netteyer leux cheminées.

Citrouille, piqué, veut sauter sur Michel-Archange. Noume le retient.

DON L'ORIGNAL — Hey! hey! pas de bagarre asteur. Le soleil est déjà couché, godêche!

MICHEL-ARCHANGE — Ça l'a mordu, hein? C'est-i' que j'arais dit tcheque chouse de vrai?

DON L'ORIGNAL — Par les temps que j'avons,

tout ce qu'un houme peut s'enfouir dans la caboche, i'peut se l'enfouir dans les tripes.

MICHEL-ARCHANGE — Faut saouère si un houme qui louche par en haut en a encore des tripes.

DON L'ORIGNAL — Chacun son temps, Michel-Archange. Je me souviens quand c'est que t'as eu le tchen. Ça se passait ce côté-citte de la traque.

MICHEL-ARCHANGE — Vous l'avez dit: c'te côté-citte de la traque. Je marche dans mon fumier, moi, pas dans le fumier des autres.

CITROUILLE — C'est qu'i' pue moins, le fumier des autres!

MICHEL-ARCHANGE — Pas quand c'est qu'i' te le fourront dans la goule, sacordjé!

DON L'ORIGNAL — Ouais... Coume ça les bounes genses d'en haut avont décidé de nous barrer leux portes. C'est nos puces qui leur avont baillé une peur... Satrées petites farlaques de vlimeuses d'enfants de chiennes, quoi c'est qui vous a pris itou d'aller vous promener par là? Vous savez ben qu'i' sont point accoutumés, ceuses-là, à vos gibarres. Nous autres, je counaissons ça, une puce, et je nous épeurons pas pour une si petite bête asteur. Ben ceuses d'en haut...

LA SAINTE — Ça mord pas si fort qu'un chien, toujou' ben.

NOUME — Vous ariez pas pu rester chus vous, mes son of a bitch, pis vous contenter de notre crasse sans aller fortiller dans la crasse des autres?

MICHEL-ARCHANGE, *à la Cruche* — Je nous en

contentons ben, nous autres, de notre crasse, pis nos guénilles, pis nos ous.· J'avons jamais rien demandé aux autres, ni que j'avons entrepris de mêler notre race à la leur, sacordjé de Djeu !

LA SAGOUINE — Michel-Archange a jamais mêlé sa race à c'telle-là de parsoune ? heh !....

MICHEL-ARCHANGE — Je me promène pas la nuit sous les chassis du Barbier, moi.

LA SAGOUINE — Non, ben tu te promènes sous le pont, par exemple, pis en plein jour, t'as qu'à ouère ! La Cruche le sait.

LA SAINTE — Satrées vauriennes de puces ! Faillit rester au logis pis vous tchendre tranquilles. Y a de quoi attraper leux maladies pis leux vices à ce monde-là.

CITROUILLE — Ce monde-là a point de maladies.

LA SAGOUINE — Ben quoi c'est que c'te idée, asteur, de blâmer les puces ? Coume si i' s'en aviont été là tout seules, les pauvres petites bêtes. C'est pas sus les épaules de la Sainte qu'i' s'avont rendues là, quand c'est qu'a' s'en va ramander des guénilles parmi les maisons ?

LA SAINTE — Oh !...

LA SAGOUINE — Et pis, y en a pas une couple qui y avont été dans le poil du nez de nos houmes qui traînont les fesses sus les barils de clous de leux magasins, par adon ? *(Michel et Noume réagissent...)* Et pis Citrouille, il arait point largué sa pus grousse en plein cœur d'une fille d'en haut, peut-être ben ?

LA SAINTE — Et la Sagouine, yelle, quoi c'est

44

qu'a va faire par là, tous les beaux jours que le Bon Djeu amène?

LA SAGOUINE — A' va forbir leux places pour gâgner sa vie.

MICHEL-ARCHANGE — A' va ragorner les nouvelles pour ensuite les colporter de porte en porte dans son siau.

DON L'ORIGNAL — Ça va faire, ça va faire, godêche de hell! Ben avec tout ça, je finirons par manquer de mélasse. Noume, va ouère jeter un coup d'œil à la pontchine.

Coup de tonnerre.

PAMPHILE — J'arons de l'orage.

LA SAGOUINE — Ouais, de l'orage. Une grousse orage coume sus l'empremier, qui décolle les couvartures des maisons et arrache les branches de leu tronc, un orgon de l'enfer qui les écrapoutira toutes coume de la bouillie, et pis rendra la paix au pauvre monde.

NOUME, *qui revient* — La pontchine est vide, son pére, ben vide. Pis j'ai entendu le Marchand dire qu'i' nous laissera pus de melasse à crédit.

DON L'ORIGNAL — Pus de crédit?

PAMPHILE — J'arons de l'orage.

MICHEL-ARCHANGE — Maudite marde!

NOUME — Notre crédit est pas assez bon pour un marchandeux d'en haut. Y faut du solide, qu'il a dit.

MICHEL-ARCHANGE — Le pus solide que je peux y bailler, moi, ça sera mon poing sus la mâchouère. (*Il montre le poing en haut.*) Gardez-

45

les, vos quarts pis vos pontchines! Gardez-les, votre mélasse épaisse qui vous reste collée dans le gorgoton! Ben venez jamais pus nous qu'ri pour charroyer vos déchets pis netteyer vos yards! J'avons peut-être pus de melasse dans l'estoumac, ben j'avons encore de quoi dans le ventre, sacordjé de Djeu!

LA SAINTE — Tout ça par rapport aux puces! Si je peux les pogner à retorner jouer sus les ouasins, les verreuses!

PAMPHILE — J'arons de l'orage.

Coup de tonnerre, éclairs, ondée. Cris des gens d'en haut qui se sauvent.

LA SAINTE, *à l'avant-scène* — Djeu nous présarve du tounerre, des élouèzes, de ses mauvais argons. Que le tounerre, si qu'i' timbe, qu'i' timbe pas dans la place, qu'i' faise aucun dégât. Si qu'i timbe, qu'i' timbe en pierre... en haut... ainsi soit-il, amen.

Coup de tonnerre. Black out.

LA SAGOUINE, *seule, éclairée par éclair* — Je l'avais-t-i' pas dit?

Scène II

Les Crasseux, sous l'orage, se sont rapprochés de leurs cabanes. Ils tiennent conseil autour de Don l'Orignal trônant sur sa souche. On bivouaque. L'orage est fini.

LA SAGOUINE — Les vaches!

LA SAINTE — Les cochons!

DON L'ORIGNAL — Faut retorner pêcher la morue, les gars.

MICHEL-ARCHANGE — Y a pus de morues depis tcheques années.

LA SAGOUINE — Et pis avant de bâsir, les morues avont tout dévoré les œufs de harengs, les vlimeuses.

NOUME — C'est la faute des dragueux qu'avont vidé la mer aussi ben des harengs que des morues.

LA SAINTE — Je pouvons toujours ben pas nous mettre à pondre des œufs de morues.

NOUME — J'en connais, pourtant, qui pondront jamais rien d'autres.

LA SAINTE — Ah! le petit effaré, c'ti-là!

DON L'ORIGNAL — La Paix, godêche de hell! C'est pas vos œufs pis vos cris qui nous bailleront à dîner.

Don l'Orignal se tourne vers Pamphile.

PAMPHILE — Dans le temps, mon défunt pére avant sa défunte mort s'a saisi d'une caisse de morues secs pour nourrir sa famille en train de périr. Que le bon Djeu aye son âme et y pardoune.

NOUME — Hourrah!

CITROUILLE — C'est point des façons de monde, ça; travaillons pour manger. Et pis si que le poisson vient qu'à tèrir, allons nous embaucher ailleurs et gagnons-les nos barils de melasse.

MICHEL-ARCHANGE — Il a pas encore compris, le jeune feluet, que les genses d'en haut refusont de nous embaucher à cause des puces; que sans embauche, ils refusont de nous vendre; et que je pourrions corver icitte dans nos cabanes sans leu faire lever un usse.

NOUME — Tu sais Citrouille, tous les houmes de boune volonté avont pèri dans le Déluge; pis si Djeu est mort, tout est parmis.

LA SAINTE — Quoi c'est qu'i' dit là, l'hérétique?

DON L'ORIGNAL — Faut espèrer encore une petite escousse, pis j'irons à l'anguille, au fanal, la nuit.

MICHEL-ARCHANGE — Par le temps que les anguilles aront remonté le courant jusqu'au barachois, je serons toutes corvés.

DON L'ORIGNAL — Faut espèrer une petite escousse...

LA SAINTE — Viarge! J'avais cru déniger une

racine, ben j'ai rien que fessé le fumier qu'a pourri là l'an darnier.

MICHEL-ARCHANGE — Ça s'appelle manger de la marde.

PAMPHILE — Pus de jobs, pus de melasse...

NOUME — I' radote, le vieux.

PAMPHILE — ...pus de melasse... Dans le temps....

MICHEL-ARCHANGE — Dans le temps, je mangions notre saoûl, je le savons... Ben c'te temps-là est mort, Pamphile. Et les morts mangeont asteur les pissenlits par la racine.

LA SAGOUINE — Les chanceux.

LA SAINTE — Ah! a' blasphême, la verreuse!... Ben des pissenlits, ça se mange-t-i'?

PAMPHILE — ...Mon défunt pére avait accoutume de tuer un cochon chaque autoune, et ma défunte mére cueillait le sang dans un grand vaisseau, pour faire de la boudiniére.

LA SAGOUINE — I'veut dire du boudin.

PAMPHILE — Pis i' m'envoyiont sus le vieil Elie porter le morceau du voisin.

LA SAGOUINE — Asteur, j'avons pus de voisin.

PAMPHILE — Pis à la Chandeleur, je ragornions des patates pis du lard parmi les maisons pour faire des poutines...

NOUME — ...des poutines rapées...

PAMPHILE — ...et du pâté à la rapure... et du fricot au poulet... avec un lotte de jus... du jus engraissé à la graisse de piroune... des pirounes de sus l'empremier... les grousses pirounes ben engraissées... pis des fayots, pis des pois...

LA SAGOUINE — Avec tcheques grains de blé d'Inde entre les fayots pis les pois... pour en faire une soupe au devant de porte.

LA SAINTE — C'est du gaspille ça ; tu ferais mieux de garder ton blé d'Inde en épi pour le manger dans ton bouilli.

NOUME — Un bouilli à la viande de cochon ?

LA SAINTE — Du cochon salé qui se consarve tout l'hiver.

MICHEL-ARCHANGE — Avec un quartier de beef, trois canards, une dindoune...

LA SAINTE — ...du petit nouère...

CITROUILLE — ... des poules...

LA SAINTE — ... des poules gonflées de farci au pain comme ma mére faisait.

LA SAGOUINE — Non, pas c'ti-là à ta mére, ben du farci à viande toute juteux...

LA SAINTE — Quoi c'est qu'il a, le farci à ma mére ?

LA SAGOUINE — Il est trop cheap.

LA SAINTE — Ah !...

LA SAGOUINE — Tant qu'à faire du farci... c'est coume les donuts, faut pas faire ça à motché... un donut pas de trou qui finit par ressembler un cake à melasse...

NOUME — De la tire à melasse...

MICHEL-ARCHANGE — Des crêpes... du pain doux à melasse...

CITROUILLE — De la melasse sus ton pain...

NOUME — Ton pain dans la melasse...

LA SAINTE — De la melasse...

LA SAGOUINE — De la melasse...

CITROUILLE — De la melasse...

50

NOUME — De la melasse... de la melasse pour Pamphile, gobine de luck.

MICHEL-ARCHANGE — Faut attaquer, Don l'Orignal. Un houme a droit à sa vie.

LA SAGOUINE — Pis les femmes itou.

MICHEL-ARCHANGE — Faut y aller tandis que que j'avons encore la force de nous battre. C'te poing-là pour le Marchand, c'ti-là pour le Barbier, un pied pour le cul de la Mairesse...

NOUME — Pis l'autre?...

MICHEL-ARCHANGE — ...l'autre pour faire rouler la pontchine en bas du cap. Quoi c'est que vous en dites, Don l'Orignal?

Don l'Orignal se tourne vers Pamphile.

PAMPHILE — Dans le temps...

DON L'ORIGNAL — Faut débaucher de nuit, Michel-Archange.

NOUME — Hourra!

DON L'ORIGNAL — Prends par le sû avec tes houmes; Noume, toi, passe par le russeau des pottes avec Citrouille.

LA SAINTE — Pas Citrouille à la guerre!

NOUME — Ça le fera pas mouri', la Sainte. Faut y faire du poil à ton gars.

LA SAGOUINE — Du poil sus les jambes, coume sa mére.

LA SAINTE — Ah! c'telle-là! a' veut que j'y corve les yeux.

NOUME — Viens, Citrouille; pis apporte le vingt-deux à ton défunt pére.

DON L'ORIGNAL — Non, pas de fusil, parsoune. Des nigogs pis des harpons, pas plusse. Pis envoyez la Cruche en avant.

MICHEL-ARCHANGE — J'avons point besoin de femmes, goddam de bitch !

LA SAGOUINE — Ah ! non ? Ben qui c'est qui va les endormir, les Marchandeux de melasse ? Une créature a été créée et mise au monde pour racheter le monde, souviens-toi de ça, Michel-Archange. C'est Jeanne d'Arc qu'a sauvé la France, c'est écrit dans les livres saints ; Lacordaire tout seul pouvait rien faire. Pis nous autres, je descendons toutes d'Évangéline pis de Marie-Stella. Ça fait que quitte la Cruche faire son ouvrage de Cruche, asteur, et quitte-les débaucher avec l'armée.

NOUME — La Cruche ! (*Il siffle.*) Une job pour toi, la Cruche. La guerre, c'est la guerre !

On habille les combattants.

LA SAGOUINE — Asteur, la Cruche, va point te fourrer entre les combattants ; c'est point la place d'une fille de ton âge. Si ça se bat, regarde-les se battre, ben approche point. Doune à bouère à nos houmes ; pis aux autres, ben... assaye de les attirer à l'écart du quart. Mets-toi pas dans le feu, mais garde-les au chaud les plus longtemps que tu pourras. Pis quand c'est que tu ouèras que nos soldars s'aront saisis de la pontchine et la feront dévaler à la côte, baille ton pied au cul du Marchand, pis sauve-toi.

LA SAINTE — Habrille-toi, Citrouille, le serein est timbé.

DON L'ORIGNAL — Prends garde à toi, Noume.

TOUS — Pornez garde à vous autres!

LA SAINTE — Va pas dans le chemin, Citrouil-le. *(Les combattants partent en chantant: It's a long way to Tipperary. La Sagouine est montée sur la voie ferrée pour crier ses impré-cations aux gens d'en haut, tandis que la Sainte et Don l'Orignal s'agenouillent devant leurs ca-banes. Pamphile reste assis.)* Djeu le père, c'est à toi que je parle; assaye point de faire mine que tu m'entends pas. Citrouille est parti pour la guerre à la melasse en haut. C'a rien de drôle, tout ça. I' pourrait se faire massacrer tcheque chouse, mon fi'. C'est à toi d'y ouère. Moi, je l'ai mis au monde, le Citrouille; ben je peux pas à moi tout seule le garder en vie vitam aeternam.

DON L'ORIGNAL — Bon Djeu, pour l'amour de Djeu, écoutez la Sainte qui vous prie pour son garçon. Pis écoutez-moi à mon tour par rapport que j'en ai un itou. C'est un petit godê-che de hell, Noume, je le sais bien. Ben je fai-sons aussi ben que je pouvons avec les enfants que j'avons.

LA SAGOUINE — Malheur à vous autres, becs-fins, qui laissez corver les veuves pis les or-phelins putôt que de leur vendre votre melasse qui sent la bouse de vache!

LA SAINTE — Ce que je te demande, Djeu le père tout-puissant, infinitivement bon et infini-tivement aimable, c'est de me ramener mon Ci-trouille aussi en vie que je te l'ai porté vingt ans passés sus les fonds. Et pis moi je te promets de porter mes médalles tous les jours de ma sainte vie, jusqu'à la fin de mes jours que mort s'ensuive. Je ferai itou mes trente-trois chemins de croix, coup sus coup, si tu me l'ordonnes dans ta sainte volonté.

PAMPHILE — Priez pour nous.

DON L'ORIGNAL — Vous savez vous-même, Seigneur Djeu, que point de vol, point de melasse ; point de melasse, point de vie, ainsi-soit-il.

LA SAINTE — Seigneur, sauve mon garçon pour l'amour des enfants des fils de la femme de Zébédée.

PAMPHILE — Priez pour nous.

SAGOUINE — Malheur à vous autres, fesses-tordues, qui voulez pas marier vos filles à nos gars pour consarver votre sang pâle qui vous doune des airs de Saint-Jésus-de-Prague !

DON L'ORIGNAL — Sauvez les houmes et les enfants de la faim.

LA SAINTE — Protège le monde des embûches du démon et de ses pompes.

PAMPHILE — Priez pour nous.

DON L'ORIGNAL — Délivrez-nous de la famine, de la guerre et de la peste.

PAMPHILE — Priez pour nous.

LA SAINTE — Bénissez-nous entre toutes les femmes, par votre fils Jésus, le fruit de nos entrailles.

LA SAGOUINE — Malheur à vous autres, fripeux de bénitchers, qui vous traînez la ventre à cœur d'ânnées de l'Ecce Homo à la sainte table ; ben qui nous déportez de nos terres pour pas ouère nos dents jaunes pis nos ous tordus !

PAMPHILE — Priez pour nous.

DON L'ORIGNAL — Et baillez le salut au genses de boune volonté.

LA SAGOUINE — Ben, écoutez-moi, la Sagouine qui vous parle, la fille à Jos à Pit à Boy à Thomas Picoté; i' viendra un jour où c'est que vous ramasserez à quatre pattes les crottes que vous nous arez garochées pour l'amour de Djeu, et vous connaîtrez c'te jour-là votre domination de la désolation, c'est moi, la Sagouine, qui vous le prédis... Les v'là !

On se fige; on écoute, mais rien n'apparaît à l'horizon.

LA SAGOUINE — Non, c'est les souris-chaudes qui faisont leu tour de nuit.
LA SAINTE — Tour d'ivouère !
LES AUTRES — Priez pour nous.
LA SAINTE — Tour de David !
AUTRES — Priez pour nous.
LA SAINTE — Arche d'alliance !
LES AUTRES — Priez pour nous.
LA SAINTE — Arche de Noé !
AUTRES — Priez pour nous.
LA SAINTE — Cantique des cantiques !
AUTRES — Priez pour nous.
LA SAINTE — Salve Regina !
PAMPHILE — Orate pro nobis.

On le dévisage. Puis sur un ton compétitif, ou d'obstination.

LA SAINTE — Kyrie alleison !
LA SAGOUINE — Christe alleison !

LA SAINTE — Christe alleison!
LA SAGOUINE — Kyrie alleison!
LA SAINTE — Kyrie alleison!

Les hommes apparaissent au loin.

NOUME — La guerre est finie!

Tous crient.

PAMPHILE — Mea culpa, mea culpa, mea maxima culpa.

L'expédition revient en rapportant triomphalement le baril de mélasse sur une brouette.

LA SAGOUINE — Faisez de la place!... Pornez garde, pornez garde, doucement, c'est ça.
LA SAINTE — Sainte Mére de Jésus-Christ du Bon Djeu!
NOUME — Ben la Sainte, a' jure!
DON L'ORIGNAL — Ah! ... les houmes, pour une victouère, c'est une victouère.
MICHEL-ARCHANGE — Ils avont voulu la guerre, ils avont eu la guerre.

Tout le monde rit, crie, boit, mange et danse: fête gargantuesque.

LA SAGOUINE, *levant une bouteille* — Vive nos soldars!
MICHEL-ARCHANGE — Vive la guerre!
NOUME — Vive la melasse!
LA SAINTE — Arrêtez de hucher coume des animaux, je reveillerons les ouasins.

NOUME — J'avons point de ouasins, la Sainte. Y a pus rien que les gens d'en haut, pis les genses d'en bas.

LA SAGOUINE — Contez-nous ça.

NOUME — Ben, j'avons coumencé par dévaler de la traque, pis j'avons débarqué à l'ouest.

MICHEL-ARCHANGE — Au suroît.

NOUME — Pis là...

MICHEL-ARCHANGE — Par rapport qu'i' fallit les mêler, parce que c'est sûr que si i' nous aviont espèrés, i' nous ariont espèrés de l'autre bôrd.

LA SAINTE — Coument ça?

MICHEL-ARCHANGE — Par rapport qu'i' savont coume nous autres que le djable se montre tout le temps à l'est.

Rires.

NOUME — Pis là, Michel-Archange a envoyé son aile gauche à droite pis son aile droite à gauche.

LA SAGOUINE — Pourquoi c'est faire?

MICHEL-ARCHANGE — Pour les mêler encore un coup, par rapport que si ils aviont été là, coume ça ils ariont eu louché des deux bôrds.

NOUME — Si ils ariont été là, j'aiguisions la pointe de nos nigogs sus les culottes du Marchand, pour après ça la planter dans la craque de fesses à son garçon.

MICHEL-ARCHANGE — Pour le faire chier dans ses hardes, le beau fi' à son père.

NOUME — Et pis attaquer en même temps par le nordais pis par le suroît.

57

MICHEL-ARCHANGE — Et pis là, larguer tous les houmes ensemble, aouindus d'un seul coup de tous les broussailles, coume un épidémie de sauterelles...

NOUME — Avec la Cruche qui porte le flag entre leux lignes à hardes...

MICHEL-ARCHANGE — ...et qui met le feu dans leux draps pis dans leux caneçons...

NOUME — ...et leux cheminées qui craquent et s'éfouèrent sur leux devant de portes...

MICHEL-ARCHANGE — ...et toute la satrée bande de peureux s'affole et se cache dans les barils...

NOUME — ... le baril de melasse...

LA SAINTE — Oh! y en a un là-dedans?

NOUME — Non, la Sainte. Tout le monde dormait. Et j'avons dénigé leu pontchine coume je pognons un lapin au collet... en douceur.

MICHEL-ARCHANGE — Et la barouette coume j'attrapons un chevreu: par les cornes.

NOUME — C'est Citrouille qu'a arrivé le premier à la pontchine.

LA SAINTE — Je savais que ça serait Citrouille.

DON L'ORIGNAL — Baillez-y une médalle, au Citrouille.

MICHEL-ARCHANGE — C'est parce que Citrouille counaît ça par en haut, i'y va souvent, la nuit.

NOUME — Ça fait que Citrouille a été le premier à sauter le russeau des pottes, pis grimper dans la bouchure à dards sans déchirer ses hardes, pis jumper droite à pic sus le baril.

MICHEL-ARCHANGE — Ben après ça, par exemple, je l'ons pardu de vue. Il avait fait son deouère, le soldar, et il a pris son furlough.

NOUME — Ouais, je l'avons repêcher en dévalant la côte, accroupi dans les tranchées sous les chassis à la Mairesse à subler après sa fille.

CITROUILLE — J'avais fait ce que j'avais à faire. Je pouvais ben revenir par un autre chemin si je voulais.

MICHEL-ARCHANGE — Avant de sortir de l'armée, un houme espère que la guerre seyit finie.

LA SAINTE — Larguez Citrouille, c'est lui qu'a trouvé le baril.

MICHEL-ARCHANGE — La Cruche! Tchens, de la melasse!

Il lui beurre la figure.

LA SAGOUINE — Ben quoi c'est qu'i' fait, c'ti-là!

DON L'ORIGNAL — Godêche de hell! Approche la Sainte.

Il la pince.

LA SAINTE — Aïe, grand salaud!

Tout le monde mange et boit.

LA SAGOUINE — Quitte-les faire, la Sainte; qui baille aux pauvres baille à Djeu.

NOUME — Hourrah pour les noces!

LA SAGOUINE — Et qui baille à Djeu a point

besoin de porter le morceau du voisin ni de payer sa dîme ; il ira quand même en paradis.

CITROUILLE — Un paradis où c'est qu'i' mangera et boira son saoul, sans se saouler.

MICHEL-ARCHANGE — Sans se saouler ? Ben à quoi ça sert un paradis qui peut même pas te saouler ?

LA SAGOUINE — I' peut servir à y garder la Sainte au chaud toute un éternité, et nous bailler la paix à nous autres, durant c'te temps-là.

LA SAINTE — Ah ! c'telle-là !

NOUME — La paix dans la melasse.

CITROUILLE — Y ara-t-i' ben de la melasse au ciel ?

NOUME — Quoi c'est qu'est mieux, à votre dire : un paradis sans melasse ou ben de la melasse sans paradis ?

LA SAGOUINE — Le mieux de toute, c'est une vie dans la melasse et le paradis à la fin de nos jours.

CITROUILLE — Ou ben le paradis durant c'te vie-citte.

MICHEL-ARCHANGE — Ou ben c'te vie-citte durant toute l'étarnité.

LA SAINTE — L'étarnité qui durera éternellement.

DON L'ORIGNAL — Où c'est qu'i' coulera la biére pis la melasse.

MICHEL-ARCHANGE — Sacordjé, Pamphile, tu vas corver.

CITROUILLE — Ça y coule sus le menton.

NOUME — Menton fourchu, bouche d'argent, nez quin-quin...

DON L'ORIGNAL — Godêche de hell! la melasse me monte à la tête.

LA SAGOUINE — Hey! le vieux a le hotchet. Il a trop mangé.

LA SAINTE — Allez qu'ri une chandelle pis les saintes huiles.

DON L'ORIGNAL — Quoi c'est qui te prend, Pamphile?

PAMPHILE — A' vient me qu'ri'.

MICHEL-ARCHANGE — Qui ça?

PAMPHILE — Dérangez-vous point pour moi. Jouez de la veuze.

LA SAGOUINE — I'parle à sa veuve.

PAMPHILE — Dans le temps, mon défunt pére contait... défunt pére... i' est sus l'...

DON L'ORIGNAL — Ouais... il est en mer, ton défunt pére... ça fait passé cinquante ans. Pis je crois bien qu'à ton âge, t'as le goût d'aller le rejoindre.

PAMPHILE — Ouais... je crois ben que c'est ça.

LA SAGOUINE — Je pouvons-t-i' t'accompagner un boute?

NOUME — Ouais... je prendrons les rames, moi pis Citrouille; Michel-Archange la barre; pis mon pére se tchendra deboute, sus la proue, pour nous montrer le chemin...

LA SAGOUINE — ... pis nous autres, les femmes, je te tchendrons la tête pis je te barcerons... avec la houle...

LA SAINTE — ...pis je réciterons les litanies...

LA CRUCHE — ...pis je chanterons « Partons, la mer est belle »...

LA SAGOUINE — Je ferons un ben beau voyage

dans les vieux pays, les pays chauds... où
c'est que les coconut poussont dans les pou-
miers et les oranges dans l'harbe à outarde,
et où c'est que les étouèles de mer se miront
dans le ciel, en plein jour...

DON L'ORIGNAL — Il a trépassé.

LA SAGOUINE — I' est-i' mort?

MICHEL-ARCHANGE — Ç'a tout l'air.

DON L'ORIGNAL — Pamphile! m'entends-tu,
Pamphile?... Il a passé.

LA SAINTE — Requiescat in pace... (*Elle murmure des prières.*)

LA SAGOUINE — Pauvre défunt. Pis il a pus sa
mére pour le brailler, lui.

MICHEL-ARCHANGE — Ben je sons toutes là,
nous autres.

DON L'ORIGNAL — Fais-toi-z-en pas, Pamphile
à Majorique à Henri à Jean, je sons là nous
autres, pis je te garderons jusqu'à ce qu'il seyit
temps de te mettre en terre. Fais-toi-z-en
pas pour ton étarnité, je t'arons un coin
au cimetchére.

MICHEL-ARCHANGE — Ouais, même si je
devons le voler, coume le baril.

DON L'ORIGNAL — T'as été un houme, Pamphile. Et les jeunesses pourront prendre exemple
sus toi. Un houme qu'a su se tchendre droite auprès du mât dans les tempêtes de mer et sus
des lames de soixante pieds; un houme qu'a
jamais laissé parsoune y appeler des noms sans y
planter son poing sus la goule; un houme qu'a
point oublié les darniéres paroles de son défunt pére et qui les a laissées à son tour à sa

descendance; un houme qu'a été le chef en son temps, par rapport qu'il a assayé de nourrir son monde, pis qu'a jamais laissé un autre aller en prison à sa place, pis qu'a resté vivant jusqu'à sa mort.

TOUS — Ainsi soit-il.

L'oraison funèbre de Don l'Orignal est scandée des pleurs de la Sainte, peut-être des femmes. Noume plonge dans le baril.

DON L'ORIGNAL — Quoi c'est que tu fais là, Noume?

NOUME — Ben nous autres, son pére, je sons encore en vie.

DON L'ORIGNAL — Ouais, nous autres, je sons encore en vie.

MICHEL-ARCHANGE — Pour le temps que ça durera.

DON L'ORIGNAL — Parlez pas de pluie durant le beau temps.

MICHEL-ARCHANGE — Il durera point la vie d'un homme, le beau temps.

DON L'ORIGNAL — J'ons tout le temps parvenu à remonter le courant, Michel-Archange. Faut point se déconforter avant son heure.

MICHEL-ARCHANGE — Ben faut saouère qu'à viendra à son heure, c'te heure-là.

LA SAGOUINE — En l'espèrant, j'ai le temps de lècher encore une palette.

Elle plonge dans le baril. Le violon reprend, on se remet à chanter. Mais cette fois, une complainte de noyés. Petit à petit, le feu s'éteint.

On allume des chandelles de chaque côté du défunt.

Scène III

*Sur la voie ferrée, apparition du Marchand et
du Play-Boy.*

LA CRUCHE — Y a de l'orage du bôrd du nôrd.
MICHEL-ARCHANGE — Où ça?
LA CRUCHE — Sur la traque.

On aperçoit les deux hommes.

MICHEL-ARCHANGE — Les son of a bitch! Ça
s'en vient à l'enterrement.
LA SAGOUINE — Quoi ça? À l'enterrement?
Ben que je les pogne: i' sont point invités.
Asteur ça sera-t-i' dit qu'ils allont après ce
temps-citte nous regarder laver nos hardes, bras-
ser notre flacatoune, pis mettre nos enfants au
monde? Pis j'allons-t-i' point pouère enterrer
nos vieux dans la paix de nos darniers sacre-
ments, sans que des étrangers s'en veniont
fourrer leur nez dans nos sarémonies?
MICHEL-ARCHANGE — I' venont pas icitte
pour l'enterrement à Pamphile, grand folle.
LA SAGOUINE — Non? Ben quel enterrement,
dans c'te cas-là?
MICHEL-ARCHANGE — Le notre, sacrodjé!

Le Marchand et le Play-Boy s'approchent mais ne descendent pas de la voie ferrée.

MICHEL-ARCHANGE — Va qu'ri la light, Noume.

On les éclaire.

MARCHAND — La fête est finie, Don l'Orignal.

DON L'ORIGNAL — Vous êtes chus nous icitte. Je fêterons quand je voudrons.

MARCHAND — Pas avec le bien d'autrui.

MICHEL-ARCHANGE — Un houme a droit de manger quand c'est qu'il a faim.

MARCHAND — Fallait payer.

MICHEL-ARCHANGE — Fallit nous vendre.

PLAY-BOY — À crédit?

LA SAGOUINE — J'étions parés à faire nos croix sus vos papiers.

MARCHAND — Vous me devez un baril de mélasse, Don l'Orignal. Maintenant faut payer, c'est la loi, la même pour tout le monde.

CITROUILLE, *à part* — La même pour tout le monde!

NOUME — Rapportez-les, votre pontchine.

PLAY-BOY — On la rapportera pas vide.

NOUME — Ben d'abôrd, pisse dedans.

DON L'ORIGNAL — C'est ben. Quoi c'est que vous voulez?

MARCHAND — Le prix d'un baril.

DON L'ORIGNAL — J'avons point d'argent.

PLAY-BOY — Allez travailler.

MICHEL-ARCHANGE — Embauchez-nous.

MARCHAND — Allez pêcher; on est prêt à acheter vos huîtres.

MICHEL, NOUME ET CITROUILLE — Les huîtres!

NOUME — Vous savez ouère pas que c'est pas la saison encore?

PLAY-BOY — Ça l'est plus loin.

MICHEL-ARCHANGE — Quoi c'est que tu veux dire, jeune homme? Tu vas nous envoyer en Nova Scotia pour te fournir un minot de z-huîtres?

MARCHAND — Allez où vous voulez; mais si vous tenez à vos cabanes et à vos terres, je vous conseille de payer vos dettes, tout de suite. Oubliez pas que les juges pis les magistrats en ont vu d'autres, des chenapans comme vous autres, et qu'ils se laisseront pas impressionner, ceux-là, par vos huîtres de Nova Scotia. Je vous donne trois jours. Vous m'entendez? Trois jours pour me rapporter deux barils d'huîtres. Après ça j'oublierai mon baril de mélasse.

LA SAGOUINE — Deux barils de z-huîtres pour un baril de melasse! Ah! le verrat!

MICHEL-ARCHANGE — Vous y faisez un prix à votre melasse!

MARCHAND — Si elle valait pas ça, vous l'auriez pas volée.

MICHEL-ARCHANGE — Je l'avons point volée, je l'avons gâgnée, votre melasse, depis vingt ans.

LA SAGOUINE — À genoux sus vos prélats!

NOUME — Les mains dans vos déchets!

MICHEL-ARCHANGE — Ben ces mains-là sont encore assez bounes pour vous jeter en dehors de nos terres, ça s'adoune.

Il s'élance. On leur jette des pierres. Le Marchand et son fils s'éloignent.

MARCHAND — Vous me payerez ça! Dans trois jours!

MICHEL-ARCHANGE — Trois jours! Trois jours pour te fendre la goule avec mon poing, mon enfant de chienne! Je le jure sus la tête au vieux qu'a rendu l'âme de souère...

DON L'ORIGNAL — Jure point sur la tête à parsoune, Michel-Archange, ça y portera malheur au vieux... Pis je l'avons un petit brin volé, le baril.

MICHEL-ARCHANGE — J'avons bûché toute notre vie pour c'te monde-là ; pis j'allions corver.

DON L'ORIGNAL — Je sais ben, je sais ben. Je pouvions corver. (*Regarde Pamphile.*) Ben i' était quand même point à nous autres, le baril. Pis la barouette non plus. Ouais, faut quitter pour la pêche ; faut y rapporter ses deux barils de z-huîtres avant trois jours. Asteur que j'avons le ventre plein, je devons veiller sur nos terres pis nos cabanes. Par rapport qu'i' sont pus forts que nous autres, godêche de hell!

LA SAGOUINE — Pour des casseux de veillées, ça c'est des casseux de veillées.

Don l'Orignal et les femmes rentrent dans les cabanes.

NOUME — Y a-t-i' tchequ'un icitte qu'est paré à se rendre au boute du monde pour un minot de cotchilles?

MICHEL-ARCHANGE — Pas au boute du monde, non, ben au boute de la Pointe-aux-Puces.

CITROUILLE — Les huîtres sont poisantes là, j'avons point le droit de les pêcher.

MICHEL-ARCHANGE — Poisantes! Un huître est pas si folle que ça, jeune homme. Tu devrais apprendre la pêche à la place d'aller courir les filles d'en haut. Tu sarais qu'un huître se rouvre la goule pour bouère l'eau claire à marée montante. Pis à marée pardante, quand c'est que l'eau charrie ses déchets, un huître se farme le bec et boit pas. Ça fait que les huîtres poisantes, c'est des histouères des officiers qui sont payés pour garder la mer aux vacanciers. Faut point assayer de remplir la tête à Michel-Archange avec des histouères de même, sacordjé de sacordjé de Djeu!

NOUME — T'as pas peur des huîtres, asteur, Citrouille? C'est grous de même, ça peut pas faire de mal à parsoune.

CITROUILLE — Ben quoi c'est que c'est d'abord qu'avait empoésouné Toine à Majorique, deux ans passés?

MICHEL-ARCHANGE — Il en avait trop mangé... Et pis quand c'est que ça en empoésounerait une couple là-bas, il en resterait encore assez de c'te monde-là pour nous faire corver de faim.

CITROUILLE — Non, vous m'emmènerez point à la Pointe-aux-Puces.

NOUME — Allons pêcher entre les deux ponts, Michel-Archange. Dans deux nuits j'arons rempli une doré.

CITROUILLE — Ouais, entre les deux ponts, y a pas de danger.

MICHEL-ARCHANGE — Pas de danger pour les huîtres, ben y en a pour nous autres. Si les officiers nous pognont là en dehors de la saison, j'allons aouère un beau carnaval.

NOUME — Ben qui c'est qu'a peur d'un officier, à l'heure qu'il est?

MICHEL-ARCHANGE — Christ Almighty! Je veux en ouère un approcher.

NOUME — J'y fends la face sus le travers, coume ça, pis sus le long, coume çacitte, qu'i'finira par r'sembler à la croix de Jésus-Christ.

MICHEL-ARCHANGE — Pis j'y pleye l'échine, coume çacitte, pis j'y mets les côtes en accordéon, coume ça, et pis je joue dessus des airs de Nouël.

NOUME — Pis j'y accroche les pieds derriére les ouïes, coume ça, et je le fais cloper des deux jambes, la tête en bas.

MICHEL-ARCHANGE — Pis j'y fourre mon poing dans le cul jusqu'au gorgoton, coume çacitte, pis j'y vire la peau à l'envers, et pis j'y tapoche doucement la doublure des pigrouins, coume ça.

Éclats de rire.

NOUME — Entre les deux ponts, Citrouille, va arrimer la doré. Je partons au clair d'étouèles.

Citrouille va vers la doré. Black out. On pousse la doré à l'eau.

CITROUILLE — Lève l'ancre, Noume.

MICHEL-ARCHANGE — Un, deux, hop! un, deux, hop!

NOUME — À bôrd, les mousses! À bôrd pour la Nova Scotia.

CITROUILLE — Quoi c'est que tu dis?

NOUME — Pour notre Nova Scotia à nous autres, qui se cache icitte... entre les deux ponts.

MICHEL-ARCHANGE — Rame à gauche, Noume, on est sus une basse.

NOUME — Baisse le fanal, Citrouille, y a des officiers qu'aimont pas ouère de light la nuit sus l'eau.

Scène en mer: Michel-Archange, Noume et Citrouille, dans une chaloupe, la nuit pêchent les huîtres, au fanal.

MICHEL-ARCHANGE — Qu'ils nous battiont, qu'ils nous voliont, ben qu'i' se moquiont pas de nous autres.

NOUME — Moi je les laisserai ni me battre, ni me voler. Tant qu'à se moquer, peuh!... ça s'adoune que je pouvons leu rendre.

MICHEL-ARCHANGE — Non, ça se rend pas, ça. Les «godêche» pis les «batêche» d'en bas s'avont jamais rendu en haut. Fais-leur une grimace, à ces enfants de collège, ça croira rien que t'as la goule croche. Un gars d'en bas a pas moyen de leur dire ce qu'il a dans les reins.

NOUME — Pas moyen?

MICHEL-ARCHANGE — Ouais, un moyen: les huîtres.

NOUME — Des huîtres, ça parle pas.

MICHEL-ARCHANGE — Laisse-moi un jour leu bailler les huîtres du boute de la Pointe-aux-Puces, si tu crois qu'i' parleront pas.

Noume fait le geste de vomir et les deux éclatent de rire.

NOUME, *indiquant Citrouille* — Y a un gars là qu'aimerait point t'entendre parler de même.

MICHEL-ARCHANGE — Ben figure-toi que j'ai point dans mon idée d'aller y demander la parmission.

Noume s'approche de Citrouille.

NOUME — Hé! Citrouille!

CITROUILLE — Pas de maison avec un clayon pis une cheminée, un houme est point un houme, c'est rien qu'un gars d'en bas.

NOUME — Heh!... Un houme est un houme, Citrouille, par en bas coume par en haut. J'ai appris ça quand c'est que je m'ai engagé sus les goélettes qui déchargiont dans le Saint-Laurent. Là-bas coume icitte, ils aviont assayé de nous faire des histouères de même itou. Tout le monde du monde était pas du monde, à les en crouère. Y avait le monde qui marchait

coume ci, y avait le monde qui marchait coume
ça. Ben v'là-t-i' pas qu'un bon souère l'orage
se lève et la sorcière de vent se tortille autour
des mâts. C'te souère-là, mon Citrouille, tout
le monde courait pis huchait de la même façon.
Y avait pus rien d'autre que des houmes sus
le pont ; et tous des houmes épeurés, par en haut
coume par en bas.

CITROUILLE — C'est point des tempêtes de
mer que j'ai peur, moi.

NOUME — J'sais ben. T'as peur des filles. C'est
pourtant pas plusse épeurant. Une belle fille,
c'est coume un orage ; ça fait courir tous les
houmes de la même façon. Par en haut
coume par en bas.

CITROUILLE — Ben c'est les houmes d'en haut
qui les attrapont.

NOUME — T'as rien qu'à courir pus vite... C'est
la fille à la Mairesse qui te tord les reins, hein ?
Un beau morceau de butin, c'te fille.
Ben c'est rien qu'une fille, toujou'ben. Ç'a
beau venir d'en haut, quand c'est que tu cha-
touilles ça, ça rit ; pis si tu pinces, ça huche ;
pis ça mord si tu y touches ; pis si tu t'enhar-
dis, pis que tu... ah ! là c'est ben content...

CITROUILLE — J'ai rien, moi.

NOUME — T'as rien ! Voyons, Citrouille. Parle
de même, pis même la Cruche te snobera. Moi,
Citrouille, sur les goélettes qui dévaliont le
Saint-Laurent, j'avais mes culottes pis mon casque de matelot. Rien d'autre, Citrouille, rien
d'autre. Ben si tu crois que j'allais aller leur dire. Et pis tu finis tout le temps par te trouver

tchèque chouse que les autres avont pas. Prends la mer, ouais, la mer. Ceuses-là, i's se figuriont qu'ils aviont vu la mer par rapport qu'ils aviont fait trois fois le tour d'Anticosti. Ben c'est même pas de l'eau creuse, Citrouille, leur Anticosti. Pis leur Saint-Laurent, c'est rien qu'une riviére, qu'est même pas salée jusqu'à son russeau. Pis d'abord son russeau, c'est un lac. Un grand lac, si tu veux, ben rien qu'un lac, pareil... Ça fait qu'un souère, moi je leur ai conté la mer : la vraie, c'telle-là qu'on counaît, nous autres, avec ses marsouins, pis ses vaches-marines, pis ses baleines...

CITROUILLE — Y a pas de baleines icitte.

NOUME — La haute mer en est pleine. T'as rien qu'à te rouvrir les yeux pis regarder au large. Pis tu sais que là-dedans...

CITROUILLE — ...y a du poisson ; pis, quand c'est que t'es proche assez, i'pue.

NOUME — Pis leur monde à ceuses-là, de proche, i'pue pas ? À force de les regarder vivre, nous autres, les genses d'en haut, j'ons fini par nous le figurer, leu beau monde caché derriére leux vitres. Tu passes le souère sous leux chassis, tout éclairés jaune. Tu ouas de dehors des sofas de plûche, pis des lampes tordues, pis un portrait du vieux dans un siége de toilette...

CITROUILLE — ...pis une bûche qui brûle dans la cheminée...

NOUME — ...pis une femme en robe blanche qui se dandine les épaules sus un piano à rouleau. Le ciel !... Ben Citrouille, c'est rien que notre ciel à nous autres, le pauvre monde. Le paradis il est en haut (*indique le ciel*) ou là-dedans (*se frappe le front*). J'y ai rentré un jour dans leu monde et pssst!... corvé, leu paradis! Le ciel, Citrouille, faut regarder ça de loin, à travers une vitre, sous des lumières jaunes....

MICHEL-ARCHANGE — Les officiers!

Les lumières des officiers de pêche cernent la chaloupe des Crasseux qui tentent de fuir. Poursuite en mer.

MICHEL-ARCHANGE — Les maudits!

CITROUILLE — Tchequ'un nous a déclairés!

NOUME — Ramez, les gars, ramez! par le nôrd!

CITROUILLE — Y en a un autre là! Virons au sû.

MICHEL-ARCHANGE — Les belles idées à Citrouille, encore! Je vous l'avais dit.

NOUME — Tchens, pornez par là, vous autres.

CITROUILLE — Noume! Tu vas te faire pogner.

NOUME — Quitte-moi faire.

CITROUILLE — Noume!

NOUME — Sauvez-vous!

MICHEL-ARCHANGE — Viens-t'en, Noume!

CITROUILLE — Noume!

NOUME — Gobine, allez-vous-en! Filez par la dune!

Bagarre sur la grève. Finalement, Noume est maîtrisé par les deux officiers. Citrouille arrive en courant auprès de Don l'Orignal et des Crasseux.

CITROUILLE — Ils avont pogné Noume!

DON L'ORIGNAL — Les godêche!

Entre Michel-Archange.

MICHEL-ARCHANGE — Sacordjé de batêche des trois parsounes en Djeu!

LA SAINTE — Jésus-Christ du Bon Djeu, arrêtez-les de jurer, c'te chenapan-là.

DON L'ORIGNAL — C'est la prison pour Nou-me.

LA SAGOUINE — Ah! ben, si c'est rien que ça, ça va point le faire corver, il est accou-tumé.

MICHEL-ARCHANGE — Aujourd'hui c'est point pareil. C'est point le temps de pardre un houme. Quand c'est que j'y serons toute, en prison...

LA SAGOUINE — Quand c'est que j'y serons toute, y a pus parsoune qui corvera de faim.

DON L'ORIGNAL — Pas de discours de même, la Sagouine... Faut y retorner, Michel-Archange. Ben c'te fois-citte, assez loin pour point vous faire pogner. Faut se rendre au large, en Nova Scotia.

MICHEL-ARCHANGE, *qui toise Citrouille* — C'te fois-citte, j'irai tout seul.

DON L'ORIGNAL — Asteur, nous autres, faut déniger un moyen d'aouindre le Noume de là. *(On entend des coups de hache. Les Crasseux s'arrêtent et écoutent d'où provient le bruit. Citrouille va voir, puis revient vers les autres.)* Qui c'est qui bûche par là?

CITROUILLE — Ils avont busté ta doré, Michel-Archange!

MICHEL-ARCHANGE — Quoi?...

CITROUILLE — Tchequ'un a flâlé dedans à coups de hatchette.

Michel-Archange s'élance.

DON L'ORIGNAL — Godêche de hell! fallit que ça arrivit asteur, ça!

LA SAINTE — Qui c'est ben qu'a fait ça? Ça pourrait-i' être un castor? ou ben un pic-à-bois?

LA SAGOUINE — Heh! un pic-à-bois qui mange des huîtres et pis du poulet en can; pis un castor qui se met un casque de poil le dimanche pour dévaler la grande allée entre les vêpres pis les quarante heures. Les v'là les castors pis les pic-à-bois qui rongeont nos dorés!

Michel passe, la hache à la main, et monte sur la voie ferrée en criant ses imprécations.

MICHEL-ARCHANGE — Sacordjé de batêche de verrat d'enfants de chienne du nôrd! Satrée bande de feluettes qui chiez dans vos hardes à ouère une puce vous grimper sus le râteau de l'échine! C'est à coups de hache que vous croyez ouère ben nous aouère asteur! A coup de hache dans nos dorés, hein? À coups de hache dans nos pontchines! pis à coups de hache dans le ventre de nos enfants, pourquoi pas! Pourquoi pas tout de suite nous les planter entre les yeux, vos hatchettes, pour que je ouayions point vos salopes de cochounes de goules de marde! Marde de marde de marde de maudite marde....

Sa voix se fond dans le bruit du train qui s'en vient à toute allure, traverse la scène et coupe le monde en deux. Michel-Archange a juste le temps de sauter en bas de la voie ferrée.

ENTRACTE

ACTE II

Scène I

Cris et rires d'une jeune fille dans une balançoire poussée par un jeune homme, près de la galerie du Marchand où se déroule une fête aux huîtres. À l'écart, le Docteur et le Barbier jouent au croquet.

LA FILLE — Hiiii! Arrête, j'en peux plus! *(Elle rit.)* La tête me tourne et je vas vomir mes huîtres.

LE GARÇON — T'avais beau pas tant en manger.

LA FILLE — Et toi?... Arrête!

Tout le monde les regarde, amusé.

MAIRESSE — Cette fois, Marchand, compliments. Vous les avez eus.

FEMME DU BARBIER — Michel-Archange a dû mordre la poussière.

MARCHAND — Il a dû faire dans ses culottes.

FEMME DU BARBIER — Oh!...

MARCHAND — Pardon, Madame.

MAIRESSE — Et des huîtres de première qualité. De Nouvelle-Écosse.

GARÇON — Je lève mon verre au Marchand et à ses huîtres!

TOUS — Au Marchand!

Barbier quitte le croquet et vient trinquer.

BARBIER — Et à la Mairesse qui nous a débarrassés des puces.

FEMME DU BARBIER — Pas tout à fait ; il en reste. Et ça c'est comme la peste, on sait jamais quand ça peut revenir.

MAIRESSE — À la paix et l'ordre rétablis !

TOUS — Santé !

MAIRESSE — Docteur, que faites-vous ? Venez manger des huîtres.

DOCTEUR — J'arrive !

FEMME DU BARBIER — Et puis elles sont délicieuses, Docteur. Meilleures que les malpèques, si possible.

DOCTEUR, *qui les sent* — Vous trouvez ?

BARBIER — Même si elles sont passées dans leurs sales mains, ne faites pas le dédaigneux, Docteur, on les a bien lavées, frottées.

MAIRESSE — Hé, les enfants, vous n'en mangez pas ?

PETITE FILLE — J'aime pas ces bibittes-là.

FEMME DU BARBIER — Des bibittes, oh ! quelles manières ! Allez vous fiez aux enfants d'aujourd'hui, même ceux des meilleures familles. Ça mange des hot dogs, des pizzas, mais ça lève le nez sur les huîtres, vous rendez-vous compte ! Des bibittes !

On continue à bavarder, quelques-uns retournent au croquet. Pendant ce temps, Citrouille et la jeune fille s'en viennent tranquillement sur la voie ferrée. Citrouille chacote un bout de bois.

En apercevant la fête, ils sautent en bas de la voie ferrée et se cachent. Scène d'amour.

JEUNE FILLE — Pourquoi veux-tu tant une maison avec une galerie et une cheminée, Citrouille?

CITROUILLE — Pour être un homme comme les autres.

JEUNE FILLE — Et pourquoi que tu veux être un homme comme les autres? Le monde est plein d'hommes comme les autres. Le Barbier c'est un homme comme les autres: flatteur, rampeur, en-dessous comme les autres, et qui coupe les cheveux de tout le monde de la même façon que ça finit que toutes les têtes se ressemblent chez nous; et le Marchand, voleur, exploiteur, dur, qui vend à tout le monde le même corn flakes que tout le pays mange à la même heure à chaque matin. Un monde comme tout le monde que ça finit que les hommes t'écœurent.

CITROUILLE — Les hommes t'écœurent?...

JEUNE FILLE — Ben... pas tous les hommes. Parce que justement un bon matin, il en a surgi un d'un autre monde... qui mange pas de corn flakes à huit heures, qui se coupe pas les cheveux, qui parle avec d'autres mots, et te regarde avec d'autres yeux, et sa peau est plus brune et plus rude... et celui-là... ben celui-là, il rêve d'être un homme comme les autres, l'imbécile.

CITROUILLE — Ben mes overhalls sont sales pis ma chemise est déchirée.

JEUNE FILLE — T'es fou, Citrouille. Comment j'aurais su, moi, que t'avais du poil sur la poitrine si ta chemise était pas déchirée ?

Ils rient.

CITROUILLE — Tu veux dire que quand c'est que j'suis tout proche coume ça, tu sens point que je pue ?

JEUNE FILLE — Tu pues le sel, le sable, l'herbe fraîche, le printemps et l'automne, la pluie et le soleil, tu pues la vie, Citrouille.

CITROUILLE — Ben toi, tu pues pas... tu sens queque chouse coume... coume le paradis.

JEUNE FILLE — C'est si bon avec toi, la vie, Citrouille, que le paradis... je voudrais qu'il attende.

CITROUILLE — Moi je voudrais qu'i' vienne droite asteur, ben qu'i' ressemble à çacitte !

Bruit de moto. Play-Boy s'arrête, aperçoit le couple.

PLAY-BOY — Roméo et Juliette sur une traque. C'est ben plus original que sur un balcon. Ah ! Shakespeare, t'avais pas d'imagination.

CITROUILLE — Le maudit ! J'y casse la goule.

Il saute dessus.

JEUNE FILLE — Citrouille !

Lutte entre les deux jeunes gens, en bas de la voie ferrée. La jeune fille effrayée, monte sur la voie ferrée. Sa mère l'aperçoit de loin et l'appelle.

MAIRESSE — Qu'est-ce que tu fais là, ma fille? Viens-t'en avec ton monde.

La jeune fille quitte la voie ferrée, inquiète.
Play-Boy réussit à se dégager, mais s'empare du couteau de Citrouille.

CITROUILLE — Si tu y touches, je te laisserai point un ous droite entre le cou pis les chevilles.

PLAY-BOY — J'en connais en haut qui pourraient te crochir les os à toi, si tu continues à courir après une fille qu'est pas de ta race.

CITROUILLE — C'est son affaire à yelle si elle aime mieux d'autres races que la tchenne... une race qui peut pas faire d'autre chose que faire peter un bicycle pis manger du corn flakes.

PLAY-BOY — Du corn flakes? Ma race mange des huîtres, des huîtres que vous avez pêchées dans des eaux pourries.

CITROUILLE — Dans l'eau claire de Nova Scotia.

PLAY-BOY — Nova Scotia? Tu crois que Michel-Archange a pu se rendre en Nova Scotia en doré percée?

CITROUILLE — ...Mon goddam de bitch! C'est toi!... c'est toi qu'a vargé dedans!

PLAY-BOY — Il les a pêchées à la Pointe-aux-Puces, Michel-Archange, vos huîtres empoisonnées. *(Il lui donne un coup en bas de la ceinture. Citrouille étouffe un cri et se plie en deux. Aussitôt le Play-Boy monte sur la voie*

85

ferrée et crie à Citrouille.) Pis asteur, ils man-
gent tous des huîtres pourries, en haut, ta fille,
comme les autres... par ta faute! *(Il se sauve.
On voit la jeune fille au loin manger des
huîtres.)* Mangez pas ces huîtres-là, i' sont
gâtées!

Tous sont sidérés.

CITROUILLE — Non!... *(Citrouille court vers
l'avant-scène, affolé. Puis il s'arrête au bord
de l'eau. Il est seul.)* A' va mourir... ils allont
toute mourir! Corver, comme Toine à Majorique deux ans passés... corver... verts pis
gonflés. Pourquoi c'est auère qu'il a fait ça,
Michel-Archange?... pourquoi c'est ouère? je
pouvions-t-i' point vivre hormis de les tuer? y
a-t-i' point de place pour tout le monde dans le
monde? Faillit-i' à tout de reste qu'une motché
creuve pour sauver l'autre?... à tout de reste?...
C'est yelle qui va mourir la premiére... Pis a'
voulait pas... Elle a dit que le paradis vienne
pas asteur, qu'il espère. A'va corver à cause
de nous autres... à cause de moi! Ah! j'arais
pu y dire... ben, je savais pas. Maudit sacordjé
de Michel-Archange! Ben il est trop tard... trop
tard pour toute: pour erfaire le monde, pour erfaire la vie. C'est la faute à parsoune... à parsoune.. si j'avons faim et que le monde est trop
petit!... Et asteur, le monde sera trop vide...
trop vide... Ah!...

Il se jette à l'eau.
*On entend le vol et cri d'un goéland et au loin
quelques sons d'une complainte de noyé.*

Scène II

On aperçoit la silhouette d'un homme qui se glisse entre les cabanes des Crasseux, la nuit. Il vient frapper à coups de poing chez Don l'Orignal.

DON L'ORIGNAL — Quoi c'est que l'effaré qui varge dans ma porte à pareille heure?

NOUME — C'est l'effaré à l'Orignal qu'a point d'heure pour rentrer chus eux.

DON L'ORIGNAL — Noume, godêche de hell!

Tous sortent la tête des cabanes.

LA SAGOUINE — Ben c'est le Noume!

Tous entourent le nouveau venu.

MICHEL-ARCHANGE — Quoi c'est qui se passe asteur! Ils avont i' pus de loquet après leux portes, sacordjé? Un homme peut-i' s'aouindre d'une prison coume de la petite école?

NOUME — Un houme peut-être pas, ben Noume, lui...

LA SAINTE — J'avons pus les prisons que j'a-vions.

NOUME — Ben non, la Sainte. Asteur c'est

87

rendu que le shérif lui-même en parsoune s'en vient te bailler ton déjeuner à genou sus un plateau.

LA SAGOUINE — À genou sus un plateau! Ah! ces prisons, ça vous refait un houme, faut pas s'y fier. J'en ai counu pis recounu des rejetons de lock up, moi. Parce que ç'a passé trois jours derriére les barreaux, ça vous en revient effaré, la tête haute, le nez en l'air, ça recounait pus parsoune... Allez vous y fier aux prisons! Les salopes!

MICHEL-ARCHANGE — C'est pourtant ces salopes-là qu'avont forni à la Sagouine tous ses houmes.

LA SAGOUINE — Tous ses houmes! M'en avont forni un et je l'ai pris coume toutes les femmes qui sarvont le pays.

DON L'ORIGNAL — T'as pas à te confondre, la Sagouine. Les prêtres contont que dans l'Écriture Sainte, y en a une qu'en a pris sept des houmes. Et pis a se noumait quasiment coume toi: la Samarigouine.

NOUME — Et pis, Citrouille? Où c'est qu'est Citrouille?

MICHEL-ARCHANGE — Ah! c'ti-là, si est pas sus la traque à guetter les créatures d'en haut, il est déjà rendu sous leux galeries à subler après, sacordjé!

LA SAINTE — Op! écoutez-les, le jaloux! I'voudrait ben en aouère, lui itou, des créatures d'en haut!

MICHEL-ARCHANGE — Peuh! des chiennes!

NOUME — Quand c'est que Michel-Archange va

par en haut, c'est pas pour les chiens.

MICHEL-ARCHANGE — Pis toi, Noume, coument c'est que tu t'as aouindu de delà?

LA SAGOUINE — Il a fait une promesse à la boune Sainte Anne.

NOUME — C'est ça. Pis après, quand c'est que la gardien a venu farmer la porte de fer, j'ai mis mon escapulaire dans la serrure. Par le temps qu'i' s'a aparçu que sa porte avait point loqueté, j'avais bâsi.

Bruit de voiture qui freine au loin.

DON L'ORIGNAL — Je crois que t'es mieux de bâsir encore, j'ons de la visite.

LA SAINTE, *inquiète* — Quoi c'est qu'y a? *(Elle va voir.)*

LA SAGOUINE — Les polices!

MICHEL-ARCHANGE — Prends le bois par le mocauque, Noume. Tchens, emporte ma blague à tabac.

LA SAGOUINE — Emporte une couvarte, les nuits sont fraîches.

Noume se sauve. Au loin, cris désespérés de la Sainte.

DON L'ORIGNAL — Il se passe de quoi, godèche de hell!

Entre la Sainte, suivie du Docteur et des officiers qui portent Citrouille.

LA SAINTE — Citrouille! Citrouille! Ils me l'avont neyé!

MICHEL-ARCHANGE — Le petit batêche de sa-cordjé!

LA SAGOUINE — De l'eau bénite, pour l'amour de Djeu, de l'eau bénite!

DON L'ORIGNAL — Fallit s'attendre que ça arriverait, un jour. Qui c'est qu'a fait ça?

DOCTEUR — Lui-même, Don l'Orignal; il a fait ça tout seul.

MICHEL-ARCHANGE — Tout seul? Vous croyez, vous, que c'est des gestes qu'une parsoune fait tout seul ça? Un gars de vingt ans qui se largue à la mer, c'est parce qu'y a pus un satré brin d'avenir où c'est qui peut se mettre les pieds. Et ceuses-là qui y avont refusé c't'avenir, c'est ceuses-là qui l'avont mené au tchai.

LA SAGOUINE — Et ceuses-là qui y avont arraché sa fille, ceuses-là l'avont garoché à l'eau.

DON L'ORIGNAL — Et ceuses-là qui y avont louté son baril de melasse, ceuses-là l'avont neyé.

DOCTEUR — Citrouille est pas encore noyé; il a peut-être encore une chance. *(Tout le monde reste stupéfait. La Sainte crie et se lamente.)* Ben restez pas plantés là coume des piquets de clôture; faut le faire vomir si on veut le sauver.

Tous entourent le Docteur.

DON L'ORIGNAL — Où c'est qui l'avont repêché?

DOCTEUR — En aval de la dune; il a dû se jeter au quai; mais le courant a pas eu le temps de l'entraîner au large.

LA SAINTE *qui montre son poing au ciel* — Djeu tout-puissant, fais-moi pas ça! Par rapport que si i' arrive de quoi à Citrouille, je les ferai pas mes trente-trois chemins de croix, j'irai pus aux vêpres pis à la supplique et je garocherai toutes mes médales dans le puits... toutes,.. c'telle-là de l'escapulaire, pis c'telle-là de Marie Rédemterroriste, pis c'telle-là...

LA SAGOUINE — Ouayons, la Sainte, ouayons... parle pas de même... espère une petite escousse...

LA SAINTE — Pis je me jetterai dans le puits avec!

LA SAGOUINE — Il a grouillé, je l'ai vu!

LA SAINTE — Citrouille! Regarde ta mére, chus là.

LA SAGOUINE — Sancta Maria de Djeu, il y fourre ses poings dans l'estoumac.

LA SAINTE — Faisez-y pas mal, Docteur!

DOCTEUR — C'est ça, Citrouille, dégueule, mon gars, crache-la ta goddam d'eau salée.

CITROUILLE — Heug!...

LA SAGOUINE — I parle!

LA SAINTE — Citrouille! Mon petit garçon!

CITROUILLE — Un vaisseau....

LA CRUCHE — Un vaisseau fantôme! I' va mourri'.

MICHEL-ARCHANGE — Où c'est qu'il est le vaisseau, Citrouille, que je le brûlions encore un coup?

CITROUILLE — Je veux... je veux...

LA SAGOUINE — I' parle du feu! C'est le feu du mauvais temps. C'est le vaisseau fantôme! Où c'est qu'il se tient?

On scrute la mer, effrayé. Soudain, la Sainte s'attrape la tête et hurle.

LA SAINTE — Arrêtez-les! arrêtez-les!

MICHEL-ARCHANGE — Quoi c'est qu'y a?

LA SAINTE — C'est la charrette! J'entends grincer la charrette!

LA SAGOUINE — Sainte Mère du ciel, arrêtez-les! La charrette de la mort, arrêtez-les!

MICHEL-ARCHANGE — Où c'est qu'elle est?

On entend le grincement d'une charrette invisible. Michel-Archange va et vient, luttant contre la charrette imaginaire, remplissant toute la scène.

LA SAINTE — A' vient de par là! Elle est au nôrd!

LA SAGOUINE — Elle est icitte! Par icitte.

LA SAINTE — Au suroît! Arrêtez-les!

MICHEL-ARCHANGE — Où ça?

LA SAGOUINE — Quitte-les pas approcher, Michel-Archange!

LA SAINTE — C'est la charrette de la mort! Arrêtez-les!

MICHEL-ARCHANGE — Je l'aurai, la moseusse de charrette d'enfer! Faudrait-i' ouère qu'a me passe sus le corps!

LA SAGOUINE — Bréce-toi, Michel-Archange, bréce-toi. Quitte-les point approcher et je sauverons Citrouille.

LA SAINTE — Arrêtez-les! arrêtez-les!

CITROUILLE — Noume... Noume...

LA SAGOUINE — I' mande Noume, il est sauvé.

LA SAINTE — Citrouille... Citrouille... mon Djeu que t'es pâle.

LA CRUCHE — Noume... (*Elle part.*)

LA SAGOUINE — T'as-tu rendu de l'autre bôrd, Citrouille?

LA SAINTE — Quittez-les parler, pour l'amour de Djeu!

CITROUILLE — Il fait chaud... chaud...

LA SAGOUINE — C'est ça... c'est l'enfer.

LA SAINTE — Sainte Mére de Jésus-Christ, fils de Djeu, priez pour nous.

CITROUILLE — Pamphile?... Pamphile?

LA SAGOUINE — Mon Djeu séminte! Il a vu Pamphile. Don l'Orignal, Citrouille nous rapporte des nouvelles de Pamphile.

DON L'ORIGNAL — Vrai?... Godêche, quoi c'est qui fait là-bas?

CITROUILLE — I' se barce.

DON L'ORIGNAL — Godêche de hell! une parsoune est ben par là.

LA SAGOUINE — C'est-i' vrai, Citrouille, que de l'autre bôrd, y a à motché du monde qui pelte du charbon, pis un autre motché qui court après un aigneau!

CITROUILLE — Des aigneaux?... J'ai vu rien que des anguilles...

DON L'ORIGNAL — Des anguilles. Je coumence à crouère que le paradis va appartchendre aux pêcheux.

LA SAINTE — As-tu vu ben du monde de par

93

icitte, Citrouille? As-tu vu apparaître des apparitions?

CITROUILLE — J'ai vu des maquereaux.

LA SAGOUINE — Oh! des maquereaux. Le petit à la Sainte s'a rendu ben bas... ben bas...

DOCTEUR, *qui rit* — Oui, et rendu là... il est sauvé. *(Il donne la main à Don l'Orignal.)* Salut, Don l'Orignal. Il va revenir, pas d'inquiétude.

DON L'ORIGNAL — Marci pour Citrouille.

DOCTEUR *tape l'épaule de Citrouille* — Prends garde à toi, jeune homme; puis à l'avenir, approche-toi pas du quai la nuit, quand la lune est trop douce. *(Aux officiers.)* Venez-vous en.

OFFICIER — Une minute, Docteur. *(Il fouille autour des cabanes.)*

DON L'ORIGNAL — Vous charchez tcheque chouse?

OFFICIER — Non, quelqu'un. Y a un homme qui s'a sauvé de prison, aujourd'hui. *(Il s'approche de la Sainte.)* T'as vu Noume?

LA SAINTE *crie* — Aïe! Touchez-moi pas! J'ai été Enfant-de-Marie, tant jeune, pis asteur chus une veuve qui se respecte. Vous arez rien de moi.

LA SAGOUINE — Ah! si c'est ça que vous charchez, faut le dire. Je pouvons envoyer qu'ri...

POLICIER, *exaspéré* — Vous le savez ce qu'on cherche, et vous savez bien où c'est qu'il se cache. Puis vous allez parler!

Michel-Archange saute sur ses jambes et s'approche des policiers, hache à la main.

94

MICHEL-ARCHANGE — Le v'là, ce que vous charchez! Et je l'avons pas volé. C'est tcheqqu'un d'en haut qui l'a oublié chus nous après qu'il a eu fini de l'enfoncer dans nos dorés. Ramenez-moi-les icitte, c'ti-là, et je fais sarment d'y rendre sa hache, d'y rendre en pleine estoumac.

Il leur montre la doré percée.

POLICIER — Qui c'est qu'a fait ça?
MICHEL-ARCHANGE — Heh! qui c'est qu'a fait ça!
DON D'ORIGNAL — Si c'est la même loi pour tout le monde, faisez votre enquête vous-mêmes, par en haut. Vous viendrez charcher c'ti-là que vous charchez après. Houme pour houme.

Les policiers, mal à l'aise, font signe que oui, et s'éloignent. Le Docteur, qui avait suivi la scène de loin, sourit et s'en va.

DON L'ORIGNAL, *à Michel-Archange* — Asteur, tu peux y aller le qu'ri, le Noume.
MICHEL-ARCHANGE — J'y vas.
LA SAGOUINE — Branle-toi pas les fesses pour rien, Michel-Archange. Y a techqu'un qui y a pensé avant toi.

La Cruche amène Noume.

NOUME — Baptême! Citrouille, t'es revenu de ton enterrement!

95

Il l'empoigne.

LA SAINTE — Hé! largue-les, si tu veux pas l'achever.

NOUME — Ben je veux rien qu'être sûr qu'il est encore en vie. Gobine de luck, Citrouille, tu m'as sacré une peur c'te fois-citte. Quand c'est que la Cruche m'a dit que t'étais parti pour l'autre bôrd sans m'amener...

LA SAGOUINE — Ben i' s'a pas rendu.

NOUME — ...I' serait capable de me voler ma place, que je m'ai dit; Noume, faut que tu t'en allis qu'ri' le Citrouille avant la barre du jour. Par rapport que quante qui fait clair ce bôrd-citte, i' fait sombre au l'envers du monde, et pis tu trouveras point ton chemin.

MICHEL-ARCHANGE — Ben i' fait clair par en haut, t'avais rien qu'à partir par là. Par rapport que le Citrouille, même mort, i' charche tout le temps à aller pus haut.

NOUME — Pus haut! T'arais dû le ouère courir après la Bessoune par derriére les limbes.

LA SAGOUINE — La Bessoune aux limbes? Ah non, en v'là une qu'a eu le temps de se faire baptiser avant de mouri'.

NOUME — Anyway, Citrouille l'a point attrapée, par rapport que le défunt Jos à Pit court pus fort que lui.

LA SAGOUINE — Quitte mon pére tranquille, mon effaré.

NOUME — Ben ton pére est point là tout seul, la Sagouine, 'narve-toi pas. Baptême non! La Chaudière d'enfer en est enfaîtée de tous les genses que tu counais. Citrouille a vu là Basile à Pierre, Mariaagélas, la veuve à Calixe qu'allait aux vêpres tous les dimanches...

LA SAINTE — La veuve à Calixte? Ben c'était une sainte âme.

MICHEL-ARCHANGE — Sainte ce bôrd icitte, damnée de l'autre; souviens-toi de ça, la Sainte.

CITROUILLE — Y avait Prémétite, Arthur pis Dorilla qui pêchiont l'épelan.

NOUME — Pis le sénateur qui vendait du blé d'Inde aux portes.

CITROUILLE — Pis le curé...

LA SAINTE — Citrouille, touche point à l'arligion.

DON L'ORIGNAL — Pis du bôrd du paradis, y avait'i tchequ'un?

NOUME — Ils étaient rien que deuses: Évangéline pis Marie-Stella. Ça fait que je nous en avons venu.

CITROUILLE, *revenu complètement* — Paradis... paradis... elle est-i' morte?

LA SAGOUINE — Qui ça?

LA SAINTE — Citrouille, reviens, Citrouille... t'es guéri.

CITROUILLE — Ils ont-i' corvé? Les huîtres poisantes...

DON L'ORIGNAL — De quoi c'est que tu parles, Citrouille?

CITROUILLE — Michel-Archange...

MICHEL-ARCHANGE — Ben oui, ben oui; Michel-Archange leur a baillé des huîtres de la Pointe-aux-Puces, t'as qu'à ouère! Ben parsou-

97

ne en a corvé, intchète-toi pas. T'es le seul, Citrouille, qu'a vu le devant de porte du piga-touère. Les bounes genses d'en haut, i' s'avont contentés de dégobiller pis chier dans leux hardes.

Tous rient.

LA SAINTE — Le choléra?

MICHEL-ARCHANGE — Les bécosses d'en haut étiont pus busy que le confessional du premier vendordi du mois. Une vraie séance.

LA SAGOUINE — Pis fallit que je manquis ça!

DON L'ORIGNAL — Ça c'est pas right, Michel-Archange; t'arais pu les tuer. C'est pas parmis.

MICHEL-ARCHANGE — Ben zeux, i' faisont-i' tout le temps de quoi de parmis?

NOUME — Ah!... chus eux, tout est parmis... hormis ce qu'est défendu.

LA SAGOUINE — Tandis qu'icitte, tout est défendu... hormis ce qu'est parmis.

MICHEL-ARCHANGE — Ouais... défendu d'acheter à crédit ou ben de manger à sa faim...

NOUME — ... défendu de prendre des huîtres entre les deux ponts pis à Pointe-aux-puces...

LA SAINTE — ... défendu de dévaler la grande allée nu-tête, pis de faire ton chemin de croix durant les vêpres...

CITROUILLE — ... défendu de changer de vie... défendu de mourir...

LA CRUCHE — ... défendu de vivre...

LA SAGOUINE — ... défendu de danser, défendu de bouère, défendu de jurer... sacordjé, du bon Djeu, quoi c'est qu'i' nous reste!

DON L'ORIGNAL — I' nous reste nos cabanes, nos chalands, pis un coin pour aller pisser. Pis quand c'est que la terre viendra à manquer, i' nous restera la mer, nous autres. J'en counais qu'avont moins que ça.

MICHEL-ARCHANGE — Une mer vide, ça sert point à grand chouse.

DON L'ORIGNAL — Au large, elle est pleine.

MICHEL-ARCHANGE — Il est loin, le large, en doré parcée.

NOUME — Quoi c'est qu'i' conte là?

LA SAGOUINE — I' conte là que sa doré est parcée; ça, ça veut dire qu'y a un trou dedans.

Michel-Archange entraîne Noume et lui montre la doré.

MICHEL-ARCHANGE — Les v'là, les belles maniéres du beau monde civilisé. À coups de hache! à coups de hache dans nos gagne-pain!

NOUME — Les maudits cochons d'enfants de chiennes!

DON L'ORIGNAL — Faut les patcher, nos dorés.

NOUME — Non, c'est point les dorés qu'i' faut patcher, c'est le monde. *(Tous lèvent la tête, stupéfaits devant ce langage nouveau.)* Moi j'ai point dans mon étention de me cacher toute ma vie dans les bois. Je sais ben qu'ils allont revenir me qu'ri et je m'en vas point jouer à bouchette-à-cachette avec les polices le restant de mes jours. Si y a un monde à patcher, gobine...

Il s'éloigne à l'écart. Don l'Orignal s'approche de lui. Scène en aparté.

DON L'ORIGNAL — Y a tcheque chouse qui te ronge les reins, Noume; ton pére peut dire ça à te regarder battre les oreilles. Les bois avont point accoutume de faire peur à un orignal. Quoi c'est que t'as dans la caboche, godêche?

NOUME — Des maniéres d'idées.

DON L'ORIGNAL — Hé, c'est dangereux, ça. Le Barbier itou en a des idées.

NOUME — Ouais, pis avec ça i' nous a eus une bonne escousse. Ça fait que je m'ai dit: si à notre tour, je pouvions penser un moyen....

DON L'ORIGNAL — Écoute ton pére, Noume, pis fais pas de folies. Les idées, ça c'est des bébelles de monde riche qu'a du temps à pardre. Le pauvre monde doit se contenter de vivre pis pas trop essayer de comprendre. Par rapport que si fallit un jour qu'il compornit... Écoute, Noume, ton grand-pére pis ta lignée d'aïeux qu'avont resté sus c'te terre, avant ton pére pis toi, avont point eu, zeux non plus, grand temps pour jongler. C'est ben juste si i' pouviont attraper les deux boutes, pis assayer de point mourir avant leur darniére heure.

NOUME — Ben un jour, elle est venue leur darniére heure; pis i' sont morts asteur, je pouvons pus compter dessus pour nous aïder à nous refaire une vie. Pis je pouvons pus compter dessus pour... Écoute, son pére, j'ai maniére d'un plan.

DON L'ORIGNAL — Un quoi?

NOUME — Un plan. J'ai su que les rats avont envahi la place en haut.

DON L'ORIGNAL — Ouais?... Des rats asteur!

100

NOUME — Ouais, ils nous avont farmé leu porte au nez, ils aviont pus besoin de nous autres ; ça fait qu'i' sont pognés avec des rats.

DON L'ORIGNAL — D'où c'est que tu tchens tes nouvelles, Noume ?

NOUME — Quoi c'est que tu crois que je fais derriére les barreaux de leu lock up, son pére ?

DON L'ORIGNAL — Tu te rouvres les battants d'oreilles pis les lucarnes des yeux, pis tu guettes, coume un chien de chasse.

NOUME — Et pis je jongle... à des plans.

DON L'ORIGNAL — Gobine ! i' coumence déjà à en aouère des idées ! Où c'est que t'as appris à penser de même, Noume ?

NOUME — Droite icitte, sus c'te souche.

DON L'ORIGNAL — Tel pére, tel fi' !

NOUME — Godêche oui !

DON L'ORIGNAL — Et quoi c'est que les autres allont dire quand c'est qu'ils allont s'aparceouère que le garçon à l'Orignal est capable de penser, asteur ?

NOUME — Ils diront qu'en bas, c'est Don l'Orignal qu'est le chef. Et pis i' diront rien d'autre.

DON L'ORIGNAL — I' diront peut-être ben : sacordjé !

NOUME — Allons-y ouère.

Ils rejoignent les autres.

DON L'ORIGNAL — Noume conte qu'il a aparçu des rats en haut.

TOUS — Quoi ? Où ça ?...

NOUME — En haut. Y a des rats partout.

LA SAGOUINE — Jésus-Christ de Dieu le Pére Tout-Puissant!

LA SAINTE — Mon Djeu séminte!

MICHEL-ARCHANGE — Les rats, ça vient des déchets. Ils avont voulu se débrouillarder avec leux grands ménages, pis leu nettoyage, bien qu'i' se débrouillardiont avec leux troubles, asteur.

LA SAGOUINE — Ils se débrouillarderont un bon élan, tant qu'à moi.

DON L'ORIGNAL — Du temps de Pamphile, y a eu déjà un édépidémie de rats coume ça. Et pis les rats avont fini par dévaler la côte jusqu'icitte.

LA SAINTE — Quoi? Ils allont nous envoyer leux rats asteur?

LA SAGOUINE — Ah! non, pas ça!

MICHEL-ARCHANGE — Qu'i' porniont ben garde!

DON L'ORIGNAL — Ils pourriont, les godêche!

LA SAGOUINE — Parce que je leur avons passé nos puces, ils allont asteur nous bailler leux rats? C'est point juste.

LA SAINTE — Non, c'est point juste: un rat, c'est pus grous qu'une puce; et pis ça mord.

CITROUILLE — Et pis une puce, ça mord pas?

NOUME — Pas ben fort.

CITROUILLE — Pour ceuses-là qu'avont la peau pus mince, une puce mord aussi fort qu'un rat.

DON L'ORIGNAL — Du temps de Pamphile, les rats avont mangé le petit brin qui restait dans les caves pis les pontchines de nos aïeux... Je ferions

102

aussi ben de patcher nos dorés sans tarder, Michel-Archange, pis de nous tchendre parés.

LA SAINTE — Ah! pas encore s'enfui'. Ça fait pas vingt ans que j'avons dû nous enfui' quand c'est que notre maison a brûlé. J'avons dû nous sauver sus la baie. J'étions dans une petite doré, moi, pis mon houme, pis Citrouille. Et je r'semblions pareil la Sainte Famille.

LA SAGOUINE — Et v'là que ça recoumence.

DON L'ORIGNAL — Ben Noume conte qu'il a un plan... c'est coume des idées.

LA SAGOUINE — Noume avec des idées asteur!

MICHEL-ARCHANGE, LA SAGOUINE et LA SAINTE — Sacordjé!

Scène III

En haut, dans la salle du conseil municipal, on est debout autour d'une table. La Mairesse murmure une prière ; puis l'assemblée fait le signe de la croix et s'assied.

MAIRESSE — Bien. Je prie chacun d'être bref, l'heure est grave. En quelques semaines, la municipalité a dû faire face à un nombre exceptionnel de calamités : d'abord les puces ; puis un empoisonnement collectif pour avoir mangé des huîtres pêchées en des eaux polluées ; et maintenant, un envahissement de rats !

FEMME DU BARBIER *crie* — Iiiiiiiii !...

MAIRESSE — Pas de panique, je vous en prie. Il faut agir. Nous avons toléré, toléré durant des années, des générations. Aujourd'hui, l'heure est à l'action. *(Applaudissements.)* J'écoute vos propositions... Mais où est le Docteur ? Je ne vois pas le Docteur.

BARBIER — Il n'est jamais là au bon moment, celui-là.

MARCHAND — Il est parti ce matin, disant qu'il reviendrait ce soir avec un remède.

MAIRESSE — Un remède ?... Il n'est plus temps. Il nous faut maintenant prendre de plus grands moyens.

MARCHAND — Et que proposez-vous ?

BARBIER — Justement... nous avons découvert, en fouillant dans les archives, que les terrains d'en bas n'appartiennent pas aux gens d'en bas, soit dit aux Crasseux.

MARCHAND — Comment ?

FEMME DU BARBIER — Je savais...

BARBIER — Non. Nulle part il n'y a de dide ou de contrats de vente. Ces terres-là leur viennent directement de leurs ancêtres qui les ont occupées sans en obtenir le droit, et par conséquent...

MAIRESSE — ...ce sont les terres de la couronne, ou de la municipalité.

FEMME DU BARBIER — Ah...

MARCHAND — Oui, mais... qu'est-ce que vous voulez que la municipalité en fasse ? C'est du sable et des coquilles.

BARBIER — Du beau sable blanc, Marchand, en bordure d'océan. Un terrain magnifique pour touristes et vacanciers.

MARCHAND — Ah... oui...

MAIRESSE — Alors nous avons fait faire des papiers... en bonne et due forme...

MARCHAND — Mais eux... où vont-ils aller ?

MAIRESSE — Ne vous inquiétez pas pour eux, Marchand. Ce sont des nomades. Ça fait des siècles qu'ils se promènent, comme ça, de terre abandonnée en terre abandonnée... S'il y a quelque part un petit coin isolé et crasseux, soyez sûr qu'ils finiront par le dénicher et y planter leurs cabanes.

BARBIER — On ne détruit pas plus des Crasseux que des puces.

FEMME DU BARBIER — Alors, qu'est-ce qu'on attend?

MAIRESSE — Le vote unanime... Contre?... Pour! *(Toutes les mains se lèvent.)* En marche!

BARBIER — En avant pour le débarquement! *(On se met en marche vers en bas.)*

Scène IV

*Les gens d'en haut, en grande délégation, s'ar-
rêtent sur la voie ferrée. Les Crasseux les aper-
çoivent et c'est l'affrontement des deux peuples.
Citrouille, à l'écart, répare la chaloupe.*

SAGOUINE — Don l'Orignal, je crois que j'ons de
la visite.

MICHEL-ARCHANGE — Toute la race! Sauve-
toi, Noume.

Noume disparaît.

LA SAINTE — Quoi c'est qui venont nous
charcher c'te fois-citte?

LA SAGOUINE — Reste à côté de ta mére, la
Cruche.

MAIRESSE — Don l'Orignal...

DON L'ORIGNAL — Y a-t'i' tcheque chouse
que je pouvons faire pour vous?

MAIRESSE — Vous savez que votre fils a cassé
les barreaux de la prison.

DON L'ORIGNAL — Faudrait à l'avenir en aouère des pus forts.

MAIRESSE — À l'avenir, ça sera le pénitencier.

MICHEL-ARCHANGE — Hey! Hey!....

DON L'ORIGNAL — 'Narve toi pas, Michel-Ar-

109

change.. Combien c'est qu'i' coûtont, vos barreaux?

MAIRESSE — Je ne vous demanderai pas de m'indiquer sa cachette au Noume. Mais je vous demanderai de me dire comment vous comptez rembourser le baril de mélasse volé au Marchand.

DON L'ORIGNAL — Je l'avons-t-i' point payé avec les huîtres?

MAIRESSE — Des huîtres contaminées?

MICHEL-ARCHANGE — Ils vous avont pas fait corver, batêche!

MAIRESSE — Ça c'est pas de votre faute, Michel-Archange.

MICHEL-ARCHANGE — Et si un houme est forcé de voler pour manger à sa faim, à qui c'est la faute?

LA SAGOUINE — À qui c'est la faute si je sons obligés de voler pour vive?

LA SAINTE — Et pis de ouère corver nos garçons?

LA SAGOUINE — Et pis de vous abandonner nos filles?

MAIRESSE — C'est la faute de votre paresse et de votre manque d'allure.

TOUS — Oh!...

MAIRESSE — Oui, vous refusez de travailler comme les gens respectables. Vous comptez sur la pluie pour vous décrotter, et sur le soleil pour vous tenir au chaud. Aussi longtemps que la mer s'en venait vous nourrir à vos portes, vous vous en contentiez et refusiez de ramer un mille pour aller chercher votre ha-

110

reng. Mais un jour, la mer aussi vient à manquer. La baie et les rivières sont contaminées et les poissons crèvent.

DON L'ORIGNAL — Et qui c'est qui l'a tué, le poisson?

MICHEL-ARCHANGE — Ouais? C'est point vos dragueux qui s'en venont jusqu'à sous nos chassis de cabane râcler le fond des riviéres et de la baie?

MARCHAND — Et qu'est-ce qui vous empêche de vous équiper aussi, comme les autres, et de faire la pêche au large et en eau creuse?

DON L'ORIGNAL — Quoi c'est qui nous en empêche?

LA SAGOUINE — Toute la vie nous en empêche.

LA SAINTE — Le frette nous empêche de venir au monde droite et la tête haute.

LA SAGOUINE — ...Et nos puces nous empêchent de nous assire à côté de vos enfants à l'école et d'apprendre à lire coume les autres.

CITROUILLE — ...Et nos overalls raccommodées nous empêchent de danser avec vos filles.

MICHEL-ARCHANGE — ...Et vos marchands nous empêchent d'acheter leu melasse et de manger à notre faim.

DON L'ORIGNAL — Pis après une vie de même, c'est nos ventres creux et nos ous rachétiques qui nous empêchent de nous équiper coume les autres et d'aller faire la pêche au large.

MAIRESSE — Vous accusez la vie et le ciel. Mais le ciel est à ceux-là qui le gagnent. Pas aux

111

paresseux crasseux qui entretiennent des puces
et des rats.

MICHEL-ARCHANGE — Les rats, ça c'est pas
à nous autres. Pis que j'en avise pas un seul dévaler la côte.

MAIRESSE — Il y a autre chose qui n'est pas à
vous autres, Michel-Archange : les terres que
vous occupez.

LA SAGOUINE — Quoi c'est qu'a' dit là ?

MAIRESSE — Vous occupez un terrain de la
commune. Et la commune a voté un projet qui
s'étendra de la voie ferrée à la mer. Nous avons
l'intention d'aménager sur ces lieux un parc public pour l'embellissement du pays et pour les
loisirs des enfants. C'est le progrès qui veut ça.
Voici le contrat.

*Elle envoie le Barbier porter les papiers à Don
l'Orignal.*

BARBIER — En bonne et due forme.

DON L'ORIGNAL — Loute ton pied sus ma souche, Barbier.

*Le Barbier s'exécute et retourne en hâte à la
voie ferrée.*

MICHEL-ARCHANGE — Satrée chienne !

LA SAGOUINE — Qu'ils veniont ouère prendre
nos terres ! Je leu vendrons pas trois treufles !

DON L'ORIGNAL — I' pourriont nous les prendre sans nous les acheter : le terrain est à parsoune.

LA SAINTE — Coument à parsoune? Tu l'as point reçue de ton défunt pére, ta terre?

DON L'ORIGNAL — Ouais, ben mon défunt pére l'avait point payée ben cher! Un bon souère qu'il avait pris femme, il a ben falli qu'i' s'étendit tcheque part, ça fait qu'il a planté sa cabane au bord de l'eau où c'est que parsoune viendrait le déniger au moins c'te nuit-là. J'y sommes encore.

LA SAGOUINE — Jos et Pit et Boy et Thomas Picoté avont toute resté sus c'te terrain avant mon houme pis moi. Et la Cruche a venu au monde sus la terre de ses aïeux.

DON L'ORIGNAL — Ben ses aïeux aviont point payé le terrain non plus.

LA SAGOUINE — Point payé, non? Mon pére, Jos à Pit, leur a payé des tonneaux de flacatoune qu'i' brassait dans une cave creusée avec ses deux mains; et son pére, Pit à Boy, leur avait payé des épelans, tous les hivers que le Bon Djeu amenait chauds ou frettes; et son défunt aïeu, Boy à Thomas Picoté, leur a payé des coups de pieds dans l'échine à ces salauds qui osiont dire que le terrain, c'était point à lui. C'est comme ça que le lot de terre nous a parvenu de Thomas à Boy à Pit à Jos à moi, la Sagouine. Et je le laisserai à la Cruche à ma défunte mort.

MICHEL-ARCHANGE — C'est ben, le terrain est point à nous autres, qu'i' veniont le qu'ri'. Ben y a d'autre chouse icitte qu'est point à nous autres: et ça, je m'en vas aller moi-même leu bailler.

Il sort la hache et donne de grands coups dans la chaloupe.

MICHEL-ARCHANGE — Houme pour houme, doré pour doré !

FEMME DU BARBIER — Aïe !...

DON L'ORIGNAL — Michel-Archange !

MICHEL-ARCHANGE — Que c'ti-là à qui c'est qu'elle appartchent vienne prendre son lot de terre que j'ai sous les pieds... C'est une hache flambant neuve, frais sortie d'un magasin.

Tout le monde dévisage le Marchand qui fixe son fils.

MAIRESSE — Pour l'honneur de Dieu, arrêtez, Michel-Archange !

MICHEL-ARCHANGE — Tchequ'un a mis la hache dedans, l'houneur de Djeu. Asteur que le Marchandeux de hatchettes vienne défendre la sienne, son houneur, si i' en a.

Le Marchand se redresse, et s'avance vers Michel-Archange. Les deux hommes s'affrontent.

LA SAGOUINE — Arrêtez-les, ils allont se faire mal !

MAIRESSE — On est en pleine jungle !

FEMME DU BARBIER — C'est un pays de vandales !

LA SAINTE — Christ-Roi, venez mettre la paix !

CITROUILLE — Hé, le garçon au Marchand ! Quoi c'est qui te retient de défendre ton pére ? Une hache, t'as déjà vu ça !

114

PLAY-BOY *sort le couteau* — Et toi, Citrouille, t'as déjà vu ce couteau-là ?

Le Play-Boy et Citrouille s'affrontent. Entre Noume qui renverse le Play-Boy. Puis il déploie à son tour un papier.

NOUME — Moi itou, ça s'adonne que j'en ai des papiers.

GENS D'EN HAUT — Qu'est-ce qu'il dit ?

MAIRESSE — Arrêtez-le, c'est un prisonnier !

DOCTEUR — Un instant, laissez-le parler.

NOUME — Des ordres du gouvernement de nettoyer la dump et de débarrasser le pays des rats.

Il passe le papier au Docteur qui le lit.

DOCTEUR — Pour des raisons d'ordre hygiénique, le ministère de la Santé demande...

BARBIER — Ah ! le traître !

MAIRESSE — Docteur, c'est vous ?

DOCTEUR — Non, c'est Noume. *(Il continue de lire :)*... des volontaires pour le nettoyage immédiat du dépotoir.

SAGOUINE — Ça, ça veut dire la dump.

DOCTEUR — Les ordres sont les ordres, et la loi c'est la loi. On demande des volontaires. Monsieur le Marchand ?...

MARCHAND — Pardon ! comptez pas sur moi !

DOCTEUR — Barbier ?...

FEMME DU BARBIER — Jamais ! jamais mon mari dans les poubelles !

DOCTEUR — Madame la Mairesse ?...

MAIRESSE — Oh ! Vous savez bien, docteur, que personne n'ira.

DOCTEUR — Comme ça, il n'y a personne?...
Personne pour répondre à l'appel du ministère?

*Il s'adresse à tous. Refus d'en haut et d'en bas.
Soudain Noume se détache.*

NOUME — Moi!

GENS D'EN HAUT — Oh!

GENS D'EN BAS — Noume! Quoi c'est qu'i' te
prend?

NOUME, *aux gens d'en haut* — I' me prend que
j'obéis à la loi, moi. *(Aux gens d'en bas.)* Et pis
i' me prend que je la connais, la dump: de la
crasse pis de la ferraille. Ben, sous c'te ferraille,
y a de la bonne terre comme c'telle-citte quand
c'est que le pére à mon pére l'a dénigée un jour
sous l'harbe à outarde pis les cotchilles.

LA SAGOUINE — Ça veut-i' dire asteur...

DON L'ORIGNAL — Noume, des fois, il a des
idées...

NOUME — Avec de la bonne terre, ceuses-là,
i' faisont une dump; ben nous autres, avec une
dump, j'allons ben montrer ce que je savons
faire!

MICHEL-ARCHANGE — À la dump!

SAINTE — Encore une déportâtion!

*Les Crasseux crient de joie et partent en enva-
hisseurs par la voie ferrée. Les gens d'en haut,
désemparés et furieux, restent en bas, avec leur
chaloupe percée. Alors le Marchand se saisit de
la hache et commence à démolir les cabanes.*

SCÈNE V

Les Crasseux, moins Citrouille, se retrouvent dans le dépotoir, affairés à nettoyer et... rebâtir. Chacun s'habille ou s'équipe avec les affaires des gens d'en haut! Noume et Michel-Archange bâtissent une cabane en vieille tôle; la Sagouine charrie des seaux d'eau, en remplit un vieux bain et fait la lessive des vieilles hardes que collectionne la Sainte; la Cruche s'habille avec les vêtements défraîchis de la Mairesse et de la Femme du barbier; Don l'Orignal découvre une vieille chaise de barbier et s'y installe, râteau à la main comme un sceptre. Michel-Archange lui pose sur la tête un chaudron ou égouttoir à pattes, en guise de couronne. Tout à coup, on se fige.

DON L'ORIGNAL — Godêche de hell! Savez-vous que je serions ben icitte!

TOUS — Godêche de hell... oui!

On voit apparaître les gens d'en haut qui les découvrent.

MAIRESSE — Ah! non! ils sont installés chez nous!

117

LA SAGOUINE — Don l'Orignal, je crois que j'ons de la visite.

DON L'ORIGNAL — Y a-t-i' tcheque chouse que je pourrions faire pour vous ?...

Pendant cette scène, petit à petit la jeune fille s'est approchée de Citrouille. Elle l'a maintenant rejoint devant sa maison de tôle. Le Play-Boy s'en aperçoit soudain et il veut la ramener. Affrontement de Citrouille et du Play-Boy qui vont se battre sur la voie ferrée. Le Play-Boy sort le couteau. Ils roulent tous les deux au bas de la voie ferrée. Puis, soudain, Citrouille crie et le Play-Boy se relève, sidéré : il a tué Citrouille... La jeune fille, qui les avait suivis sur la voie ferrée, a eu le temps de voir la scène.

JEUNE FILLE — On a tué Citrouille !

Tout le monde se fige. Alors on entend le train approcher.

MAIRESSE — Ma fille !

Mais la jeune fille reste immobile. Le train passe. Les deux clans sont là, écrasés devant le spectacle des deux morts.
Dernier tableau : la voie ferrée traverse la scène vide. Seuls deux corps sont là : Citrouille, en bas, qui tend les bras vers la fille, sur la voie ferrée, qui tend les bras vers Citrouille.

Montréal, le 15 novembre 1974

TABLE

*Achevé d'imprimer
par les travailleurs de l'imprimerie
Les Éditions Marquis Ltée de Montmagny,
le trente novembre mil neuf cent soixante-quatorze,
pour les Éditions Leméac.*